Sommaire

Illustrations

Bernard Duchesne : 7, 21, 29, 33
Olivier Carpentier : 13
Suzanne Morel : 95, 113

Laurine Spehner habite à Longueuil. Quand son occupation d'infographiste lui laisse un peu de temps libre, elle fait de l'illustration. On retrouve ses couvertures chez les éditeurs québécois Alire, Vents d'Ouest, Médiaspaul, Soulières, Québec Amérique, en plus des revues Alibis et… Solaris, bien sûr. Et quand elle ne dessine pas, elle blogue sur le site Fractale framboise.

Solaris 164 en ligne
www.revue-solaris.com

Prix Solaris 2008

Le Prix Solaris s'adresse aux auteurs de nouvelles canadiens qui écrivent en français, dans les domaines de la science-fiction, du fantastique et de la fantasy

Dispositions générales

Les textes doivent être inédits et avoir un maximum de 7 500 mots (45 000 signes). Ces derniers doivent être envoyés en trois exemplaires (des copies car les originaux ne seront pas rendus). Afin de préserver l'anonymat du processus de sélection, ils ne doivent pas être signés mais être identifiés sur une feuille à part portant le titre de la nouvelle ainsi que le nom et l'adresse complète de l'auteur, le tout glissé dans une enveloppe scellée. On n'accepte qu'un seul texte par auteur.

Les textes doivent parvenir à la rédaction de **Solaris**, au C.P. 85700, succ. Beauport, Québec (Québec) G1E 6Y6 et être identifiés sur l'enveloppe par la mention « Prix Solaris ».

La date limite pour les envois est le 31 janvier 2008, le cachet de la poste faisant foi.

Le lauréat ou la lauréate recevra une bourse en argent de 1000 $. L'œuvre primée sera publiée dans **Solaris** en 2008.

Les gagnants (première place) des prix Solaris des deux dernières années, ainsi que les membres de la direction littéraire de **Solaris**, ne sont pas admissibles.

Le jury, formé de spécialistes, sera réuni par la rédaction de **Solaris**. Il aura le droit de ne pas accorder le prix si la participation est trop faible ou si aucune œuvre ne lui paraît digne de mérite. La participation au concours signifie l'acceptation du présent règlement.

Pour tout renseignement supplémentaire ou pour obtenir des copies du règlement, contacter la rédaction.

Rédacteur en chef: Joël Champetier
91, rue Saint-Thomas
Proulxville (Qc) G0X 2B0
(418) 365-7940
solaris@globetrotter.net

Éditeur: Jean Pettigrew

Direction littéraire: Joël Champetier, Jean Pettigrew, Daniel Sernine et Élisabeth Vonarburg

Site Internet: www.revue-solaris.com
Webmestre: Christian Sauvé

Abonnements: voir formulaire en page 6

Publicité: Bärbel Reinke
solaris@revue-solaris.com
(418) 525-6890

Trimestriel: ISSN 0709-8863

Solaris est membre de la Société de développement des périodiques culturels québécois.

© Solaris et les auteurs

Solaris est une revue publiée quatre fois par année par les Publications bénévoles des littératures de l'imaginaire du Québec inc. Fondée en 1974 par Norbert Spehner, **Solaris** est la première revue de science-fiction et de fantastique en français en Amérique du Nord.

Solaris reçoit des subventions du Conseil des arts du Canada, du Conseil des arts et des lettres du Québec et reconnaît l'aide financière accordée par le gouvernement du Canada pour ses coûts de production et dépenses rédactionnelles par l'entremise du Fonds du Canada pour les magazines.

Dépôt légal à la Bibliothèque nationale du Québec
Dépôt légal à la Bibliothèque nationale du Canada

Date d'impression: septembre 2007

Éditorial

Tel père, telle mère, tel fils...

La science-fiction se taille la part du lion dans le sommaire de ce 164e numéro de **Solaris** avec une ambitieuse novella de Laurent McAllister qui explore un des grands thèmes de la SF : la colonisation d'une autre planète. Soyez prévenus, il s'agit ici d'une variation peu optimiste mais néanmoins fascinante.

Ce n'était ni voulu ni prévu, mais le thème secondaire de la novella de McAllister – les difficiles relations filiales – trouve un écho direct dans trois des quatre courtes nouvelles qui l'accompagnent. Un enfant malade perçoit une fée dans la touchante nouvelle de Pierre-Alexandre Sicart, notre invité européen du numéro ; un fils modifié par une technologie futuriste entretient une relation ambiguë avec son père dans le récit de Gautier Langevin, auteur qui fait son entrée dans **Solaris** après s'être fait remarquer par un recueil de nouvelles publié chez Arion (une maison d'édition qui vient de rendre l'âme, apprend-on de source sûre au moment même où j'écris ces lignes) ; et un jeune homme aux prises avec des difficultés professionnelles aperçoit son père décédé dans le conte énigmatique de Frédérick Durand. La nouvelle de Christiane Lahaie qui complète le volet des fictions n'a rien à voir avec ce thème de la filiation, ce qui ne l'empêche pas d'être plaisamment ironique et fort joliment écrite – voici une autre auteure que nous espérons revoir au sommaire d'un prochain numéro.

Le hasard faisant souvent bien les choses, un thème commun relie également les articles de Jérôme-Olivier Allard et Mario Tessier sans que ces derniers se soient concertés : l'amour du livre et de la lecture. Jérôme-Olivier soulève le voile sur un sujet méconnu du grand public, la fiction fanique, un phénomène qui a toujours existé – à preuve, la première nouvelle que j'ai proposée à **Solaris**, il y a très, très longtemps, était une parodie du *Cycle de Tschaï* de Jack Vance ! –, mais qui connaît un essor prodigieux grâce à Internet. Quant à notre Futurible, il trace le portrait clinique d'un fétichisme plus vénérable, l'amour du livre en tant qu'objet, et le désir de possession qui en découle – ici encore, s'il existait des groupes de support pour vaincre cette dépendance, je ferais partie de ceux qui se présentent par leur prénom et avouent qu'ils continuent d'acheter des livres même s'ils en possèdent plus qu'ils ne pourront en lire de leur vivant. Ce qui me rassure, c'est que je retrouverais Mario Tessier dans ces rencontres… ainsi que presque toute l'équipe de **Solaris** !

N'oublions pas non plus notre volet Internet, téléchargeable gratuitement à partir de notre site web, dans lequel on trouve, en plus de nos chroniques habituelles, un trop bref survol de la science-fiction arabe, sous la plume de Kawthar Ayed, que les visiteurs du dernier congrès Boréal ont eu le plaisir de rencontrer.

Merci, Bärbel…

Ce numéro de la rentrée correspond hélas à une sortie. Après quatre ans de bons et loyaux services, notre coordonnatrice Bärbel Reinke nous quitte pour affronter de nouveaux défis, comme le veut la formule consacrée, en l'occurrence un poste à Télé-Québec, dans la Vieille Capitale. Je lui souhaite bonne chance au nom de tous ceux qui restent, et je me désole du même souffle. Car sous ce titre discret de « coordonnatrice », Bärbel accomplissait toutes ces tâches invisibles et pourtant essentielles au fonctionnement harmonieux d'un organisme comme **Solaris** : permanence téléphonique, préparation des contrats, gestion des services de presse, de la publicité et de la liste des abonnés – et qui n'a pas déjà essayé de débrouiller un malentendu avec une agence d'abonnement n'a pas la *moindre idée* du temps qu'on peut consacrer à administrer une revue ! Tout ce qui précède serait déjà beaucoup, or il faut ajouter sa participation à la chronique « Sur les rayons de l'imaginaire », colligée avec Pascale Raud : un autre exemple de travail de fond peu susceptible de faire sonner les trompettes de la renommée, mais qui est pourtant fort apprécié des lecteurs en général et des bibliothécaires en particulier, et qui contribue, numéro après numéro, à faire de **Solaris** une revue de qualité.

Ce ne sera pas facile de te remplacer, Bärbel…

Joël CHAMPETIER

Le Crabe et la Fée

par **Pierre-Alexandre SICART**

Bernard Duchesne

*À Micheline Sicart,
ma première lectrice.*

C'est chez le docteur qu'on s'est rencontrés, avec Justine.
Elle était perchée tout là-haut, sur une étagère, les ailes
repliées contre un de ces volumes à dos vert dont l'alignement
trop parfait respire la poussière. Moi, je lis jamais que des trucs
beaucoup moins épais, mais je les lis beaucoup souvent. Ou je
regarde les images, et je rêve.

Mais là, je rêvais pas. J'avais sept ans et trois quarts, presque,
alors je le savais bien que les fées ça n'existe pas ; mais quand
même, y en avait une juste au-dessus de ma tête, dont les jambes
minuscules se balançaient dans le vide et qui me regardait. « Ça
y est, a dit le médecin. Bravo bonhomme, tu as été très courageux ! » Il avait une aiguille dans sa main gauche ; de l'autre, il
rebouchait un deuxième flacon plein de sang. Mama tenait un

morceau de coton bien serré sur mon bras. En fait, j'avais rien senti du tout. C'est seulement quand il a parlé que j'ai fait attention, et après j'ai regardé en haut mais Justine était plus là. Le docteur a mis un pansement à la place du morceau de coton, ensuite j'ai dû le laisser seul avec mama. Il voulait que j'aille lire les comics dans la salle à côté – ce qu'était très bête, parce que je lui avais dit déjà que je les avais tous lus.

J'aime bien mon docteur. Il est vieux mais gentil quand même, pas comme le papa de papa qui comprend jamais rien. Mon docteur, c'est un Blanc. Ça fait un mois, je me sens pas trop bien, alors on va le voir souvent. Je l'ai dit à Hsin-I, elle a dit que mama elle aime trop le médecin. Elle a dit ça parce que son papa à elle, il aime trop sa secrétaire, que sa mama elle crie beaucoup à cause de ça. C'est un secret qu'elle a dit qu'à moi. Moi, je lui ai dit que je me sens vraiment malade, alors Hsin-I m'a dit que mama, peut-être elle me fait manger des choses pour ça. Je lui ai dit qu'elle était débile et je l'ai poussée par terre.

Elle m'a plus parlé, jusqu'au lendemain. On est beaucoup amis, Hsin-I et moi, du fait qu'on est les seuls ABC[1] de la classe. Y a des Blancs, surtout, trois Blacks aussi et cinq Latinos. C'est eux les plus forts, dans la cour. Leur chef, il s'appelle Santiago, il a deux ans de plus que tout le monde, je crois, en tout cas il est le plus grand. Il répète sans arrêt « ABC, imbécile ! » chaque fois qu'il me voit, ou qu'il voit Hsin-I. C'est un gros con, elle a dit. D'ailleurs, elle est toujours première, dans la plupart des matières. Je sais bien qu'elle est pas débile, c'est juste que parfois, elle a de drôles d'idées.

Au vrai, je sais pas pourquoi je lui ai pas parlé de Justine. Je crois pas qu'elle aurait ri. Les autres oui, bien sûr ; d'ailleurs ils rient toujours quand Santiago fait le clown. Moi aussi, parfois, ce gros con me fait rire, mais jamais jamais il amuse Hsin-I. Elle en a peur. Moi aussi, un peu. Une semaine après la fée (sauf que j'étais plus trop sûr si je l'avais vue, en fait), je me suis retrouvé seul à la récré, à cause que Hsin-I, elle était allée chez le médecin aussi, mais elle, elle avait plein de boutons partout. J'ai pas eu droit de lui parler, alors je lui ai juste dit bonjour en partant. Elle habite au deuxième étage, juste au-dessus du restaurant. Je me suis moqué de sa tête, elle a refermé la fenêtre. J'aurais pas dû rire, je sais, c'est pas drôle. Maintenant, c'était Santiago qui riait ; il

---

[1]   *American-Born Chinese.*

me jetait vers ses copains et ses copains me repoussaient comme une balle. J'avais du mal à pas tomber.

Pour finir, je suis tombé exprès, j'ai crié et Santiago et les autres sont partis vite, avant que le surveillant arrive. J'avais pas mal, mais j'avais très chaud, j'avais leurs ricanements dans la tête, j'avais vraiment envie de pleurer. C'est à ce moment-là que j'ai vu Justine pour la deuxième fois. J'étais assis par terre, contre le mur, dans un coin éloigné de la cour, derrière le grand pylône, et elle, elle était debout sur la pointe de ses pieds minuscules et elle regardait dans une fleur.

Une petite fleur jaune qui avait poussé dans une craquelure du béton, à deux pas de moi. J'avais un peu de mal à voir Justine, pourtant, je sais pas trop pourquoi. Elle était un peu transparente, peut-être, ou un peu floue, ou lumineuse. J'avais envie de frotter mes yeux, mais je voulais pas arrêter de la voir. Je voulais pas la voir disparaître, c'est pour ça.

J'ai tendu le doigt. Elle tenait toujours la fleur par sa corolle, mais elle s'était tournée vers moi. Sa peau était très pâle, mais pas comme celle des Blancs – comme certaines fleurs de prunier, plutôt, les fleurs préférées de mama. En fait, ses traits étaient assez comme les nôtres : elle avait de hautes pommettes et de longs yeux très fins, très noirs. Ses cheveux, non, ils étaient comme tissés de lumière, avec des reflets de toutes les couleurs. Même qu'il y en avait que je connaissais pas.

Quand même, je me suis rendu compte que dans ce pays, Justine et moi, on est des immigrés tout pareil. C'est peut-être pour ça qu'elle a serré mon doigt, vraiment très gros dans ses deux toutes petites mains, et ça m'a fait tout drôle, mais plaisir quand même. Comme la première fois que j'ai touché un flocon de neige, un peu, juste moins froid, et moins humide après.

Sauf que j'ai commencé à pleurer alors, sans vouloir. Justine s'est effacée entre deux larmes ; j'ai entendu des pas lourds s'arrêter tout près : « C'est le petit Santiago qui t'a fait mal ? » J'ai répondu rien. J'étais seul dans la cour, tout le monde était rentré. J'ai essuyé mes yeux et je suis couru aller m'asseoir en classe.

中

C'était mon anniversaire et Hsin-I était venue me voir, avec mes parents. Mama était restée plus longtemps que d'habitude, avec papa, mais papa a dû retourner travailler. Mama voulait qu'il reste encore un peu mais un restaurant, ça marche pas tout seul, et puis je leur coûte très très cher, malgré qu'on a une assurance. Alors, mama l'a suivi. La dernière fois qu'ils s'étaient un peu disputés, c'est quand mama a voulu inviter le docteur Golden à déjeuner. « Nous ne sommes pas du même monde ! » papa a crié.

C'est pas trop souvent que papa crie. J'ai demandé à Hsin-I, elle a dit que papa est peut-être raciste, ou peut-être c'est qu'il aime pas les gens avec trop de diplômes. Je lui ai dit que c'est pas vrai ; papa parle toujours des diplômes que j'aurai quand je serai plus grand. Et puis, ce sont les Blancs qui sont racistes. Surtout envers les Chinois, papa dit qu'on peut même plus participer à la loterie pour la carte verte, que les Américains, ils veulent plus les Chinois.

Moi, je suis américain et je suis chinois, et la carte verte, je m'en moque. Hsin-I, elle sait pas quoi c'est non plus. Pour mon anniversaire, elle m'a apporté un livre comme ceux que j'aime, surtout depuis Justine, un livre avec des fées. Y en a un, une fois, j'ai lu dedans que si un enfant dit que les fées c'est pas vrai, y en a une qui meurt. Je l'ai répété à mama, qui a répondu que les fées, quand elle était petite, y en avait pas. J'ai rien dit à Hsin-I, parce qu'elle est trop curieuse, j'avais peur qu'elle essaye ; elle aurait pu tuer Justine, sans faire exprès, et Justine, c'est la seule qui est là quand tout le monde est parti. Surtout la nuit, quand c'est que je m'ennuie vraiment beaucoup.

Hsin-I est gentille, quand même, elle a lu les mêmes livres que moi, comme ça on peut parler. J'aime plus ça quand elle parle de ce que c'est qui se passe à l'école. J'ai plus peur de Santiago, plus du tout. C'est lui qui a attrapé peur, la dernière fois. J'ai demandé à Hsin-I ce qu'elle pensait des *changelings*, si elle pensait si c'était possible que j'en étais un : un être-fée difforme abandonné dans un berceau humain en échange contre l'enfant légitime. Elle a dit que j'étais aussi con qu'un Latino.

J'sais pas, peut-être. J'ai plus un cheveu sur le caillou, en tout cas, j'ai même plus de sourcils, ni de cils, et je suis plus blanc qu'un WASP[2] passé à la Javel. En plus, je suis fatigué tout le temps, malgré que quand même j'ai du mal à dormir. La nuit dernière, j'attendais Justine ; c'est un docteur avec une infirmière qui sont entrés. Il a regardé les machines, ils ont un peu parlé.

---

2   *White Anglo-Saxon Protestant.*

L'infirmière, elle comprenait pas pourquoi c'est pas possible de faire un transfert de *mwale* sur moi. Il a expliqué, je crois, mais j'ai pas compris non plus. Il était pas content, à cause que je vais faire grimper le taux de mortalité de l'hôpital. Moi, j'aurais bien aimé rentrer chez moi, même avec le *jenshen* et le *lingchih* que mama me fait boire tout le temps, même aussi si à la fin je vomissais sans arrêt; mais c'est pas possible, il faudrait quelqu'un toujours là pour s'occuper des machines qui me surveillent. De la bulle stérile, aussi.

C'est une tente transparente, en fait, personne peut me toucher. J'ai même un peu de mal à voir Hsin-I; son visage se déforme dans les replis de plastique. Les docteurs sont les seuls à pouvoir passer, parfois, pas souvent; ils ont mis alors une drôle de combinaison qui les fait ressembler comme des martiens d'*X-Files*. Et puis y a Justine, aussi. Justine, elle peut passer partout et maintenant, elle vient me voir tous les jours. Dans la nuit, surtout, et là je peux la voir très bien. Elle est vraiment lumineuse, en fait. Elle a de jolis sons aussi et elle parle un peu, même si elle utilise pas des mots. C'est moi qui l'ai appelée Justine; c'est le nom blanc de ma sœur qui est morte bébé, mama m'a dit.

J'aurais peut-être pas dû, mais tant pis. De toute façon, ma sœur, c'est une fée aussi. C'est Justine qui le sait. Justine, elle est toujours là, maintenant; une fois je l'ai dit à l'infirmière, mais le docteur dit que c'est pas des fées mais des morphines. Je sais pas trop la différence; ça n'a pas d'importance, je crois. J'ai plus le temps de demander à Hsin-I. Ce soir, il fait vraiment très noir, sauf que j'ai plus froid. Justine est là, c'est une petite étoile pâle juste devant mes yeux. Elle veut que je vienne avec elle. Moi, j'avais peur de laisser Hsin-I toute seule, à l'école, à cause de Santiago.

Tans pis, ce soir, j'ai décidé, j'ai dit oui. Alors Justine m'a touché encore, c'était la seconde fois seulement, et j'étais tout léger soudain, et pas plus grand qu'une fée. J'ai commencé à m'élever et Justine me tenait la main. J'ai regardé une fois en dessous; j'ai vu qu'elle avait laissé un être-fée difforme, à ma place, dans le grand lit blanc. Un petit être chauve et maigre et pâle, avalé d'ombre sous la tente isolante, encerclé de machines: un kobold, un farfadet peut-être, qu'il fallait laisser à mes parents parce qu'ils puissent l'enterrer.

Ça me fait un peu triste, pour mes parents, mais ça fait pas peur aux kobolds du tout et moi, j'ai plus peur de rien. J'avais Justine et ma sœur m'attendait, je pouvais m'envoler, petit être immense lancé vers le ciel clair constellé d'étoiles : vers le pays des fées.

Pierre-Alexandre SICART

À en croire son site Web (www.sicart.info), l'auteur serait docteur ès Lettres des universités de Toulouse (UTM) et de New York (NYU), où il enseigna aussi bien le français que les arts martiaux. C'est un pied de chaque côté de l'Atlantique qu'il publia ses premiers articles de critique littéraire, et surtout ses premiers récits, dont « Le Crabe et la Fée » dans **Il était une Fée** (Oxymore, 2000). Sept ans plus tard, cette nouvelle reste selon lui sa « meilleure excuse d'être venu au monde »; il est donc particulièrement heureux, la voyant renaître dans **Solaris**, de la partager aujourd'hui avec vous.

Une dernière larme

par **Gautier LANGEVIN**

Olivier Carpentier

C'était la première fois que Constant prenait vraiment conscience des changements qu'avait subis son corps. Alexandre, son père, lui avait pourtant bien expliqué qu'il arrivait un moment dans la vie d'un enfant où cela se produisait, tout naturellement, et qu'il ne fallait pas s'inquiéter. Selon son père, toujours, Constant devait être fier que ce changement arrive aussi tôt dans son cas : il partirait avec une longueur d'avance sur les autres. Mais ce dernier n'aimait pas du tout les premiers effets que cela produisait sur lui. En filant à toute allure sur son vélo, il pensait que c'était exactement la source de son récent malheur.

Ses muscles tendus, sa chaîne suivant les plateaux et son cœur pompant à une vitesse de cent cinquante battements à la minute le propulsaient enfin vers la grille du quartier sécurisé. Dans son esprit, deux entités semblaient se livrer une guerre d'émotions contradictoires. Encore sous l'effet de l'adrénaline, il était incapable de prendre position dans un camp ou dans l'autre, spectateur impuissant de sa propre destinée. Il se sentait plus en vie que jamais, pourvu d'une force nouvelle, mû par un désir de dépassement qu'il saisissait un peu plus chaque jour, et, du même coup, il avait l'impression d'être sur le point de mourir, en train de s'aventurer sur un chemin d'une aridité meurtrière. Il regarda derrière lui, comme pour exorciser les démons qui avaient surgi plus tôt, dans la périphérie. Son arrivée imminente dans les rues immaculées, au milieu des voitures de luxe et des maisons aux proportions démesurées, ne parvenait décidément pas à effacer de sa mémoire les lambeaux d'immeubles en décrépitude de la vieille ville, mais surtout cette douleur qui enflammait, au rythme de ses battements de cœur, son arcade sourcilière suintante. Plus il se rapprochait du quartier, plus la nature du combat qui se jouait en lui devenait claire. L'enfant avait eu peur de l'adulte qu'il devenait, et l'adulte éprouvait une frustration grandissante envers cet enfant qui refusait de partir.

En réduisant légèrement sa vitesse, à la hauteur du portail d'entrée, il eut le temps d'apercevoir le regard inquiet du gardien de sécurité, qui, en le reconnaissant, lui avait fait un discret signe de la tête. Il allait dépêcher une patrouille à la maison, évidemment. Le garçon les avait déjà vus faire : les agents de sécurité attendraient qu'il arrive chez lui, inspecteraient la situation de loin et viendraient analyser la crise un peu plus tard, question de ne pas sembler trop inconvenants. Pour l'instant, il devait affronter les regards interrogateurs des voisins, et c'était déjà bien assez pour son jeune orgueil. Il tenta de garder les yeux fixés sur la route, car il voulait absolument éviter une rencontre qui, dans tous les cas, s'avérerait embarrassante pour lui. Malgré ses efforts pour passer inaperçu, alors qu'il était presque rendu chez lui, une voix familière s'éleva à sa droite.

— Tout va bien, Constant ?

— Je suis tombé à vélo !

Il avait lancé sa réponse sans même s'arrêter, mû par un seul désir, celui de rentrer chez lui. Il avait honte de ce qu'il venait de dire. Non parce que c'était un mensonge, mais bien parce qu'il venait de salir la réputation de sa famille. Qu'allaient penser les voisins ?

L'aîné des Lefrançois a chuté en vélo. À son âge…

Il tourna dans l'entrée de la maison familiale, la mine plus basse que jamais, et rangea son vélo dans le garage après avoir effectué le contrôle rétinien. Le mensonge, la réputation, la blessure au front. Il hésita avant de franchir la porte qui menait du garage à la résidence, apeuré par la colère inévitable de ses parents. Immobile, tentant en vain de mettre sur pied un argument qui pourrait calmer la crise à venir, il écouta les cliquètements métalliques du moteur de la voiture qui refroidissait. Il ne savait pas pourquoi, mais ce son l'avait toujours calmé. Cette journée-là pourtant, il n'y trouva aucun réconfort. La douleur était toujours présente. Il se sentait mal à l'aise dans ce garage où rien ne traînait, et où même les outils semblaient être nettoyés à la machine. Il se sentait impropre, étranger, imposteur, indigne… Il prit une grande inspiration au moment où il entendit qu'on venait à la porte.

Sa mère, interloquée, se tenait maintenant devant lui, attendant une quelconque réaction qui pourrait servir de début d'explication au spectacle qui s'offrait à elle. Mais Constant restait sans mots, figé par la peur des représailles à venir. Une larme s'échappa tout de même de son œil droit, pour aller ensuite tomber sur le béton poli du plancher. Il observa pendant un moment la goutte d'eau inerte, sentit la frustration monter en lui de plus belle. Il se trouva faiblard, jeunot, et se promit intérieurement que c'était la dernière fois que la peur lui arrachait une larme.

— Veux-tu bien me dire ce qui s'est passé?

Il ne pouvait pas mentir une seconde fois. Il avait besoin de se racheter, tout en sachant très bien que les conséquences de ses aveux allaient lui rendre le reste de la journée complètement infernal.

— C'est Christian…

Sa mère ferma les yeux en poussant un soupir de lassitude, resta immobile quelques instants puis s'anima soudain. Elle traîna littéralement Constant jusqu'à la salle de bain du premier étage, comme s'il avait encore cinq ans. En chemin, il aperçut du coin de l'œil son père, qui profitait de sa journée de congé, avant de rentrer pour le quart de soir, en lisant son journal et en surveillant son plus jeune qui agaçait l'androïde domestique. Sa mère ratissa rapidement et sans faire trop de bruit les tablettes de la pharmacie, pour ensuite se diriger vers la sortie de la pièce.

— Ne bouge pas, je vais chercher quelque chose pour faire désenfler ça.

Le garçon, maintenant seul dans la salle de bain, constata les dégâts dans le miroir et fut étonné par ce qu'il vit. Une petite protubérance bleuâtre gonflait son arcade sourcilière fendue. Il s'était attendu à plus effrayant, mais le reste de son visage était intact. Intact mais transformé. Constant ne se reconnaissait plus. Il s'approcha du miroir, pour observer sa blessure, et fut saisi d'une étrange sensation de dégoût. Il avait l'impression que cette fente sur son front le narguait, comme sa mère qui l'avait traîné dans la maison tel un bébé. Sa mère qui, en le soignant, lui rappelait à quel point il était encore faible. Sa mère qui ne voulait pas accepter qu'il soit en train de devenir un homme. Sa mère qui avait toujours eu peur du changement… Il n'arrivait pas à se l'expliquer, mais il comprenait un peu plus son père qui, depuis sa promotion, soupait seul dans son bureau. Il sentait qu'un lien nouveau venait de se tisser entre eux. Mais il fut interrompu dans sa réflexion par ses parents qui entraient dans la salle de bain. Son père bombardait sa mère de questions. La crise commençait.

— Comment ça, tu n'en sais rien ? Judith ! Veux-tu bien m'expliquer…

— Je n'ai pas encore eu le temps de lui demander. Tiens, Constant, mets ça sur ton œil.

Elle lui tendait un paquet de steak congelé qu'elle avait dû prendre en vitesse dans un sac d'épicerie traînant encore sur le comptoir de la cuisine. Le paquet mis au contact de la plaie, Constant eut l'impression que le froid lui transperçait le crâne, et un haut-le-cœur lui vint aussitôt. Il ne réussit pas à savoir si c'était dû à la douleur accentuée par la pression exercée sur son front ou le fait de la viande qui commençait à dégeler. Il regarda son père, attendant le début de l'interrogatoire, plus embarrassé que jamais.

— Qu'est-ce que tu faisais avec Christian au juste ?

— On revenait de la piscine ensemble et il voulait qu'on aille chez lui pour jouer.

— Constant, ça n'explique en rien ton état…

— Il voulait prendre par le bord du fleuve. Il disait que c'était mieux, et moi, je lui ai répondu que c'était inutile, qu'on se rallongeait pour rien, qu'il valait mieux passer par l'intérieur de la ville. Puis, il a commencé à me traiter de bébé gâté, de fils à papa. Il a dit qu'on faisait toujours ce que moi je voulais parce que j'étais dans la nouvelle ville et pas lui…

Son père lui tâtait le crâne avec minutie et lui soulevait les paupières pour des raisons qui échappaient à Constant.

— Et il t'a frappé pour ça ?!

— … Je l'ai poussé…

Tout au long de la discussion, Judith avait fermé les yeux en signe de désapprobation, mais Constant ne savait pas si c'était après lui ou après son père qu'elle en avait.

— Je t'avais dit que c'était beaucoup trop tôt, dit-elle.

— Judith, on n'aura pas encore cette discussion-là. Les médecins étaient tous d'accord pour estimer que nous pouvions nous le permettre… Si tu avais coupé les liens avec cette famille de la périphérie, aussi…

— Parce que c'est de ma faute !?!

— Bien sûr que non, mais tu sais très bien qu'il faut éviter les traumatismes pendant la période d'adaptation. C'est inutile de prendre des risques de la sorte.

— Catherine est ma meilleure amie d'enfance, Alexandre, je ne peux pas tout simplement…

— Pas devant Constant.

Sa mère tourna les talons et quitta brusquement la salle de bain. Constant, dépassé par les événements, la regarda s'enfuir. Au lieu de subir la colère de ses parents, il avait l'impression d'être la source d'un conflit entre eux et en était d'autant plus désemparé. Son père, comme s'il était habitué à ce genre de situation, ne semblait pas préoccupé par ce départ précipité. Il examinait Constant, comme hypnotisé par son inspection. Au bout de quelques minutes, il prit la parole d'un air sévère qui cachait mal son admiration.

— Il va falloir retourner voir les docteurs pour vérifier si tout est beau.

— Ils vont me rajouter des puces ?

— Non. Juste vérifier si celles qui sont déjà là ne sont pas brisées.

— C'est à cause d'elles que je me suis chicané avec Christian… et que je me sens comme ça ?

— Comment te sens-tu ?

— Comme si… j'avais besoin de faire de l'ordre partout.

Son père lui enleva avec douceur le morceau de steak qu'il tenait toujours sur son front, le déposa à côté de l'évier et passa sa grande main dans les cheveux de Constant, le fixant toujours intensément. Le garçon se sentit libéré, et, au même moment, quelque chose mourut en lui…

◆

Ayant subi à peu près les mêmes modifications cybernétiques que son fils, Alexandre savait bien dans quelle confusion Constant devait être plongé. Sa récente promotion lui avait permis de se payer ce dont il rêvait depuis tant d'années : l'outil idéal pour affronter les nouveaux standards de compétitivité. Il avait dû faire des sacrifices, bien sûr. Travailler plus longtemps, se priver des moments agréables en compagnie de sa famille, mais le jeu en valait la chandelle. Ses implants lui avaient permis d'accéder rapidement à la nouvelle classe de travailleurs ultra-compétents et, du même coup, d'amasser l'argent nécessaire pour payer une opération similaire à son fils. Le sentiment de différence et d'isolement devait déjà assaillir son garçon. Il fallait essayer de le réconforter, mais ça ne venait pas. Son esprit était hanté par trois mots, qui, malheureusement, auraient été loin de calmer les inquiétudes de son fils.

À son âge...

— C'est normal. Je t'ai déjà expliqué que ton corps changeait.

— Mais pourquoi il ne change pas comme celui de Christian ?

Soudain, Alexandre eut la vive impression que quelque chose ne marchait plus correctement. Quelque chose, dans toute cette histoire, lui échappait. Il sentait que la réponse qu'il allait donner à son fils allait être déterminante et trouvait le moment bien mal choisi pour sceller le destin de celui-ci. Après une analyse rigoureuse de la situation, il se lança malgré tout. C'était la chose la plus utile à faire.

— Dans la forêt, certains arbres grandissent plus vite que d'autres parce qu'ils sont plus exposés au soleil. Tu es comme ces arbres-là, tu as eu la chance de naître dans une famille exposée au soleil...

Il regarda sa montre. Il fallait partir pour le travail. La boîte crânienne de son fils n'avait pas l'air d'avoir été trop secouée par le coup reçu. Une visite chez le docteur s'imposait tout de même, mais ce serait simplement pour avoir la conscience tranquille. Cette crise-là étant réglée, il fallait maintenant en gérer une autre avant de partir : calmer Judith.

— Promets-moi une chose, mon fils. Ne revois plus Christian, d'accord ? Reste avec les amis de l'école.

— Promis, papa.

— Allez, va faire tes devoirs au sous-sol, il faut que j'aille travailler.

Sur ces paroles, il entreprit de monter au deuxième étage. En passant devant le salon, il surprit son plus jeune fils grimpé sur les épaules du pauvre androïde, qui essayait tant bien que mal de se libérer de l'emprise de son assaillant.

— Constant, emmène ton frère avec toi en bas.

— OK !

Judith devait être très en colère pour avoir laissé le petit seul dans le salon. Il devait temporiser avant de partir travailler. En montant les escaliers qui menaient au deuxième étage, il répétait silencieusement la scène qui allait se produire. Il croyait bien connaître sa femme… Ce n'était pas le cas.

La pièce était vide et un papier gisait sur le grand lit *queen*.

« J'ai choisi le bord du fleuve. Bonne vie avec tes fils. »

Debout à côté du lit, il froissa rageusement la feuille, qu'il lança contre un mur de la chambre. Il regarda, pendant un moment, la boule qui avait rebondi sur le plancher. Le départ de sa femme ne l'attristait pas. Il était frustré d'assister, impuissant, à un tel désordre. C'était de sa faute, de sa faute à elle. Elle qui n'avait pas voulu se faire implanter, qui vivait dans le passé, qui avait toujours eu peur du changement. L'image de tous les soupers qu'il avait pris, seul dans son bureau, vint le frapper. Ce n'était pas uniquement parce qu'il avait du travail à faire qu'il s'exilait chaque soir, il le comprenait maintenant. En observant la boule de papier au pied du mur, il ressentit le même dégoût qu'il avait eu en mangeant devant sa femme depuis son opération. Ses jambes devinrent molles et il fut obligé de s'asseoir sur le lit, pour éviter de perdre l'équilibre sous le choc du constat qu'il venait de faire.

La porte de sa chambre s'entrouvrit pour laisser passer Constant, qui avait assisté à la scène en cachette. Il s'approcha de son père, qui le regarda d'un œil intrigué.

— Maman est partie.

— Oui.

L'adolescent ne semblait pas plus troublé que lui. Alexandre en était fier, mais en même temps, il ne put s'empêcher d'éprouver une sorte de gêne devant son fils de onze ans qui semblait l'inspecter d'un regard qu'il n'avait jamais vu chez lui.

— Je t'aime, papa.

La gêne se transforma aussitôt en peur. Son fils affichait le sourire des occasions spéciales. Il était content que sa mère soit partie. Alexandre sentit son cœur perdre le contrôle, et les larmes envahir ses yeux asséchés depuis longtemps.

À son âge…

Avec l'apparition des larmes de son père, le sourire de Constant s'éclipsa, et fut remplacé par une expression qu'Alexandre connaissait bien.

Celle du dégoût.

Gautier LANGEVIN

Né à Montréal en 1984, Gautier Langevin termine présentement un Baccalauréat en littératures de langue française à l'Université de Montréal. Passionné de littératures populaires et, ironiquement, de cultures marginales, il est le cofondateur de Front Froid, un organisme qui fait la promotion de la bande dessinée au Québec. Il collabore aussi au journal **Le Libraire**, et a publié chez Arion, à l'hiver 2006, un recueil de nouvelles d'anticipation intitulé **Sens Uniques**.

Tel père, tel fils

par Frédérick DURAND

Bernard Duchesne

En rentrant chez lui, ce soir-là, Paul Loiselle sentait la fatigue peser sur ses épaules plus que jamais. C'était tangible : il aurait eu besoin d'un bon massage. L'homme commençait à en avoir assez des coups durs, des problèmes et de ce mois de septembre qui s'éternisait.

« C'est une mauvaise année », jugeait-il, comme le ferait un connaisseur à propos d'un mauvais vin. Il n'y avait pas d'autre explication, janvier s'était d'emblée annoncé de manière catastrophique par le décès de son père, puis il y avait eu la rupture avec Kate, la maladie de son ami Gilles, les ennuis au travail, trop d'impôts à payer, des dettes, un printemps et un été affreux – on avait enregistré des records de froid, les jours qui se succédaient n'étaient que pluie, vents glacés et nuages noirs. Cela avait déprimé tout le monde… En attendant le retour du beau temps au Québec, Paul aurait aimé prendre de longues vacances dans le sud, afin de laisser les rayons du soleil le réconforter et ajouter un peu de chaleur dans son existence pénible… Malheureusement, son budget ne lui permettait pas un tel exutoire, même s'il en aurait vraiment eu besoin. Il ne fallait plus y songer, il convenait de s'arrêter là, car établir la liste de tous les événements démoralisants survenus depuis neuf mois serait trop pénible.

Avec l'automne qui s'annonçait, la situation ne semblait pas en voie de changer. Le mauvais climat au bureau s'était maintenu, causé par d'inévitables querelles de clans, des médisances, des collègues qui le boudaient ou lui adressaient des regards coléreux, tout cela à cause de questions d'avancement, de privilèges et d'ancienneté. Ces prises de bec finissaient par donner à Paul l'impression d'évoluer dans une vaste volière dont chaque animal, occupant un rang hiérarchique précis, était prompt à rappeler aux autres sa position dans la chaîne…

Le comptable avait pris le chemin du retour sans trop se presser, écoutant un animateur de radio poser des questions faciles à des participants peu doués. Il s'agissait de nommer l'interprète du dernier succès de l'heure et de nommer le titre de sa chanson. Comme le morceau était en anglais, les gens qui téléphonaient se trompaient de titre, incapables de donner la bonne réponse.

Paul soupira en empruntant l'une des rues qui conduisaient chez lui. Il détestait les lundis : la semaine serait longue. Pour une énième fois, il allait devoir effectuer ce trajet qu'il connaissait par cœur : tourner à droite dans Bonneville, puis à gauche dans Ferrand. Arrêt, ensuite à droite dans Kardec et à droite dans sa rue, Lemay. Ensuite, arrivé chez lui, il mangerait seul un plat réchauffé au micro-ondes en regardant la télévision. Le lendemain, ce serait à recommencer. Il avait parfois la sensation d'être une bête qui recommençait les mêmes actions jour après jour. À la longue, il risquait d'y perdre des plumes…

Le comptable en était là dans ses réflexions lorsqu'il vit une Chevrolet Impala noire s'approcher en sens inverse, juste après la rue Bonneville. La vue du véhicule lui soutira un sourire triste : son père avait conduit des Chevrolet pendant des années, et il les entretenait avec un soin maniaque. Paul le revit, en pensée, en train de laver son automobile à l'aide d'un boyau d'arrosage.

Un rayon de soleil filtra entre les nuages noirs. Par réflexe, Paul jeta un coup d'œil dans l'habitacle de la Chevrolet. Ce qu'il aperçut l'électrisa, mais il ne put pas regarder longtemps. Le conducteur ressemblait à son père !

La Chevrolet eut tôt fait de disparaître, laissant Paul perplexe. Puis, après dix ou quinze secondes, il eut un rire nerveux.

Voilà ce que ça donnait de trop travailler. L'événement s'expliquait de façon très simple : il était fatigué, il avait vu la voiture. Association d'idées. Son esprit avait fait le reste... Le type au volant devait avoir une vague ressemblance avec son père, et Paul avait complété le portrait, comme devant un test de Rorschach.

S'il en fut encore troublé pendant quelques instants, il se convainquit rapidement de ne pas accorder trop d'importance à ce fait, inusité mais en définitive pas très significatif.

◆

C'est en pestant contre son patron que Paul quitta la boîte, le lendemain vers dix-sept heures. Le grand Garnier exagérait : il lui était impossible de traiter ces dossiers plus rapidement. D'un côté, on exigeait qu'il produise un travail impeccable, de l'autre, on lui imposait des délais si courts qu'il était très difficile d'effectuer un boulot irréprochable.

Le retour ressembla à celui de la veille : animateur surexcité, nouvelles affligeantes, bouchon de circulation, conducteurs enragés...

En tournant dans Bonneville, Paul se remémora l'événement survenu le jour d'avant. Fut-il surpris de voir la Chevrolet Impala qui se dirigeait à nouveau vers lui, comme la veille ? Même s'il n'avait plus songé à cette rencontre singulière depuis le lundi soir, il avait eu, dès le départ, l'intuition qu'un événement bizarre s'était déroulé. Intuition qu'il avait fait taire, car elle était par trop invraisemblable.

Il s'immobilisa et examina avec beaucoup d'attention, aidé par le soleil qui venait d'émerger des nuages, le véhicule qui s'approchait de lui. Il s'agissait, cette fois, de bien regarder à l'intérieur afin de s'assurer que le chauffeur *n'était pas* son père, évidemment. Le contraire était aussi absurde qu'impossible.

Ce qu'il vit à l'intérieur de la Chevrolet lui arracha une grimace de perplexité : ce n'était pas une vague ressemblance, il s'agissait vraiment d'un sosie de son père... *ou de son père lui-même*... mais ça ne se pouvait pas !

La coïncidence, quoi qu'il en fût, était troublante : que penser de ces deux rencontres, à la même heure, avec un « double » de son père mort qui conduisait une voiture identique à celle du défunt ?

Le comptable rentra chez lui avec un sentiment proche de la nausée, un mal de cœur difficile à contrôler. Il se dirigea vers le téléphone avec l'envie de se confier, d'en parler à Gilles, par exemple, mais il n'osa pas passer aux actes. On le taxerait de mythomane, on s'inquiéterait de sa santé mentale, et il n'avait pas envie de susciter ce genre de réaction.

Ce soir-là, Paul fut suffisamment préoccupé par la rencontre pour qu'il se promette de suivre le véhicule si jamais il le croisait encore une fois. Tant pis pour ce que le conducteur pourrait penser de lui, il fallait en avoir le cœur net. C'était trop bizarre.

◆

Le mercredi, Paul était fébrile en quittant le bureau. Persuadé de revoir le mystérieux conducteur, il allait mettre un terme à cette affaire qui commençait à trop le préoccuper.

Radio, bouchon, temps maussade, tout cela lui était indifférent. Il ne vivait que pour le moment où il atteindrait enfin la rue Bonneville. Puisque la circulation était loin d'être fluide, le conducteur eut le temps de songer à son père et à leur relation.

Raymond Loiselle avait été un homme froid, peu enclin aux démonstrations d'affection. Passionné d'ornithologie, il avait l'habitude de se terrer, presque chaque soir et les fins de semaine, dans une cabane qu'il s'était bâtie au bout du terrain familial. Là, il passait des heures à examiner des livres, à scruter les photos qu'il prenait pendant les week-ends, à parler avec des oiseaux en cage.

Paul aurait voulu en savoir plus, mais Raymond ne tenait pas à partager sa passion, et Suzanne, sa mère, lui disait de laisser son père tranquille.

— Tant qu'il est ici, je sais ce qu'il fait et il n'est pas à la taverne comme le mari de Jeanne ou celui d'Annie. Ne le dérange pas, il est fatigué, il travaille fort à l'usine. C'est son jardin secret, tout le monde a besoin d'en avoir un.

Paul avait même voulu espionner l'ornithologue à l'ouvrage, mais il en avait été quitte pour une punition mémorable : il ne fallait pas déranger son père.

Suzanne Gaumont-Loiselle disait-elle la vérité ? achetait-elle la paix à peu de frais ? En grandissant, Paul opta pour la seconde solution, tant sa mère semblait heureuse de l'absence de son mari. Leur union s'était d'ailleurs soldée par un divorce. Les parents invoquèrent leur « incompatibilité d'intérêts », ce qui semblait plus que logique : Suzanne n'avait jamais parlé d'ornithologie ni manifesté aucune curiosité pour la passion de son époux. Même les questions que Paul lui avait posées à ce sujet avaient semblé l'ennuyer profondément.

Ensuite, il avait fallu déménager et vendre le bungalow familial à un couple d'immigrants suisses. Paul avait passé quelques années avec sa mère, qui se souciait peu de lui et le laissait faire ses frasques d'adolescent sans intervenir. Il avait peu vu son père, qui, vers la fin de sa vie, s'était consacré plus que jamais à son hobby, jusqu'à ne presque plus sortir de chez lui.

Que dirait Suzanne Gaumont aujourd'hui, si Paul lui affirmait avoir rencontré son père mort ? Impossible de le savoir, puisqu'elle était partie en vacances au Brésil, avec son nouveau mari, sans laisser de numéro de téléphone ou d'adresse pour la joindre. De toute façon, Paul n'avait pas envie de lui parler. Elle avait changé depuis son second mariage, elle était devenue encore plus froide et distante qu'auparavant…

◆

Lorsqu'il parvint enfin à la rue Bonneville, Paul ne fut même pas surpris de voir la Chevrolet Impala venir dans sa direction. Tout de suite, très méthodiquement, il freina, fit demi-tour, laissa la voiture le croiser, jeta un regard à l'intérieur – c'était *vraiment* son père – et se mit à suivre le véhicule.

Ses pensées s'emballaient. Il imaginait mille scénarios qui, au fil des minutes, acquéraient un caractère de moins en moins vraisemblable :

• L'homme en question serait un nouveau voisin, véritable sosie de son père, mais ayant seulement le physique en commun avec le défunt homme.

• Trop absorbé par ses pensées, Paul allait faire un accident avant d'avoir eu l'occasion de savoir si le chauffeur de la Chevrolet était ou non son père.

• C'était une plaisanterie ! Les caméras de télévision allaient apparaître d'une minute à l'autre, un type joyeux crierait dans un porte-voix : « On vous a bien eu… »

• La Chevrolet allait s'engager dans l'allée du cimetière, Paul la perdrait de vue tout à coup, pour s'apercevoir ensuite qu'elle s'était volatilisée juste devant la tombe de son père. C'était un message de l'au-delà : il devait prier pour le salut de l'âme de Raymond Loiselle.

Paul s'efforça de balayer ces pensées, en fronçant les sourcils et en refermant son poing sur le vide, comme si ce geste allait suffire à le calmer. Il suivait le véhicule depuis dix bonnes minutes, aidé par un temps soudain dégagé. Le chauffeur de la Chevrolet ne donnait aucun signe d'un arrêt imminent. Il roulait ni trop vite ni trop lentement, se dirigeant vers le petit village situé à quelques kilomètres de là. Un petit village où Paul Loiselle avait grandi…

Pendant un moment, Paul envisagea diverses possibilités, quand la circulation devint moins dense. Il songea à dépasser la Chevrolet ou à faire un signe au conducteur. Il opta pour une solution plus simple : klaxonner. L'autre s'immobiliserait ou réagirait d'une manière quelconque.

Paul enfonça donc son pouce au milieu du volant, ce qui arracha une sonorité stridente à son véhicule, une Toyota rouge qui commençait à manifester son âge.

Le comptable aurait dû s'en douter : le chauffeur de la Chevrolet ne broncha pas. Paul klaxonna, klaxonna et klaxonna encore. Rien à faire ! Maintenant, l'autre se savait suivi, mais peut-être était-ce ce qu'il voulait ? Il empruntait le chemin qui conduisait à l'ancienne maison des Loiselle.

Une certaine angoisse commença à s'emparer de Paul. Tout cela était très étrange. Il aurait voulu avoir un allié, quelqu'un qui pût le rassurer ou l'encourager dans sa démarche. Que faisait-il là, à suivre un inconnu identique à son père ? Le trajet le mènerait-il vraiment au bungalow de son enfance ?

Le cœur battant trop vite, Paul essuya son front moite, de moins en moins sûr de lui. Il fallait arrêter de se raconter des histoires : c'était évident, le véhicule ne s'arrêterait que rendu là-bas. C'était là qu'aurait lieu l'explication. Mais quelle serait-elle ? Que se passerait-il ?

D'interminables minutes s'écoulèrent encore, pendant lesquelles il klaxonna sans résultat, pendant lesquelles il tenta ensuite de dépasser la Chevrolet, qui se contenta d'accélérer.

Ils arrivèrent enfin en vue du bungalow sans grâce où ils avaient vécu pendant des années.

La Chevrolet s'immobilisa, la silhouette de son père ouvrit la porte très vite, plus vite que Raymond Loiselle n'aurait pu le faire de son vivant. D'un pas décidé, sans même se retourner, il longea le côté de la maison et se dirigea vers la petite cour arrière où se trouvait la cabane. Il ne semblait pas du tout se soucier de circuler sur un terrain privé sans s'être annoncé.

Fébrile, se sentant proche de savoir enfin, Paul suivit son père – était-ce bien lui? – jusque sur le terrain. L'homme venait d'ouvrir la porte de la cabane, mais, cette fois, il ne la referma pas derrière lui.

De plus en plus nerveux, Paul marcha jusqu'à la cabane. N'osant trop y entrer, il jeta un coup d'œil à l'intérieur. Son père était assis au fond, immobile, dans un vieux fauteuil en osier.

En plongeant son regard dans celui du vieil homme, Paul sut qu'il faudrait rénover la cabane, après avoir racheté la maison aux Suisses et ensuite… ensuite…

Un livre ouvert reposait à quelques centimètres du seuil. Seules quatre phrases, écrites en gros caractères, occupaient la page de gauche. Paul lut:

Il faut s'occuper des oiseaux, car, sans eux, il n'y a plus de saisons. C'est à ton tour, maintenant. Tu dois commencer dès demain. Garde le secret.

Jetant un regard en direction de son père, Paul ne vit qu'un fauteuil vide. Revenant sur ses pas, tremblant et mal assuré, le comptable constata qu'il n'y avait aucune Impala noire devant sa voiture. En revanche, posé sur le toit, un oiseau au ventre rouge vif le dévisageait d'une manière insistante. Il identifia tout de suite cet animal très rare au Québec: c'était un *Pyrocephalus rubinus*, plus vulgairement connu sous le nom de moucherolle vermillon. Lorsqu'il lui tendit la main, l'oiseau s'y posa…

Frédérick DURAND

Depuis 1997, Frédérick Durand a publié sept romans fantastiques chez différents éditeurs, dont La Veuve Noire et Hurtubise HMH, de même qu'un recueil de poésie. Détenteur d'un doctorat en littérature, il a enseigné à l'Université du Québec à Trois-Rivières et il est actuellement professeur au Collège Laflèche. Il a également publié des nouvelles, des articles et des comptes rendus, en anglais et en français, dans **Solaris** bien sûr, mais aussi dans divers périodiques (**Tangence**, **Recherches sociographiques**, **imagine…**, etc.).

Lettre trouvée au fond d'un volcan

par **Christiane LAHAIE**

Bernard Duchesne

Cher ami,

Je t'écris de cette ville aux cent collines dont je ne connais même pas le nom. C'est mieux ainsi d'ailleurs, car j'aurais peur que tu cherches par tous les moyens à m'y rejoindre. Je suis arrivée il y a plusieurs jours, je crois, même si les heures ne se comptent pas aussi facilement. À cause des trois soleils, la nuit ne tombe jamais tout à fait, de sorte qu'un halo rose orangé se profile en permanence à l'horizon. De leur côté, la mer a la couleur de la lavande, et le sable, celle de l'ocre brûlée.

J'habite un grand pavillon aux vitres teintées où je ne croise personne, mis à part quelques nains discrets qui font la cuisine et le ménage. Ils ne m'adressent pas la parole, sauf un, qui a l'air intrigué par mes cheveux noirs. Celui-là m'a appris plein de choses sur la ville et les environs.

Mais, en règle générale, les visiteurs ne sont guère appréciés ici. Hier, j'ai déambulé dans les rues, à la recherche de papier et de ce qui pouvait s'apparenter à un crayon. Cela m'a demandé un temps fou. Je regrette que les écrans et les pixels aient pris toute la place. L'énergie solaire qui alimente tout cet attirail sert même à rafraîchir la population quand la température extérieure devient trop élevée. Ainsi, j'aurais pu te parler de ce poste de télé géant qui encombre la salle de séjour, mais je ne voulais pas te voir ni entendre le son de ta voix. Surtout, je ne voulais pas que tu croies que vous me manquez, tes complices et toi. Si, si, ne le nie pas : ta famille a bien manœuvré pour nous séparer. Tu peux leur dire que tout va comme ils l'espéraient. Je suis partie aussi loin que c'était possible.

Hélas, je ne crois pas que je pourrai me lier vraiment avec les loques humaines qui peuplent ces murs. Mon visage, qui n'a ni la texture rêche ni la couleur sombre des leurs, me trahit à chaque tournant. Eux ont les yeux éteints, et la plupart s'enfuient dès que je les approche. Certains ont la peau abîmée, comme s'ils avaient été frappés par les radiations. C'est peut-être les soleils. L'un d'eux semble si proche. Il luit, immense et rouge, dans un ciel sans le moindre nuage. Il y a des midis où la température de l'eau devient si élevée qu'il est interdit de se baigner ou de pêcher. De toute façon, les poissons meurent ou plongent vers les abysses. Alors les gens se terrent dans leurs huttes de béton et patientent.

De temps à autre, quand un de nos volcans fait irruption, les cendres bloquent la lumière. Durant ces longues périodes, les citadins s'affairent davantage, des masques de fortune sur la bouche et le nez. Ils en profitent pour faire du troc, se déplacer d'un bout à l'autre du pays, visiter les serres où s'entassent légumes et herbes ou tout simplement aller à la rencontre des flots rafraîchis. Moi, je ne m'y aventurerais pas : de l'eau brouillée par de la fine poudre grise qui tombe du ciel, cela ne me dit rien qui vaille.

Tu ne seras pas étonné d'apprendre que j'ai payé une fortune pour être approvisionnée en eau potable et douce. Ta mère me croit dépensière, eh bien, dis-lui qu'elle n'a encore rien vu. J'ai aussi acheté deux robes qui s'illuminent dès que le jour décline un peu. Les fibres contiennent du phosphore, et de petites piles solaires font clignoter l'ourlet et les manches. C'est d'un chic fou, tu verras. Enfin, tu verras peut-être.

Mais je sais que d'entendre parler chiffons t'ennuie. Je peux, si tu préfères, t'entretenir de la perception que les citadins ont de la politique locale. Le nain m'a dit qu'il a beaucoup d'admiration pour l'autarque qui règne depuis des lustres sur ce monde bizarre : un humanoïde surdoué, à ce qu'il paraît, mais nous savons, toi et moi, qu'il s'agit plutôt d'un mutant. Il m'a même montré des images numériques de son souverain, de ses iris taillés dans l'iolithe, de son visage fin et de ses longs cheveux argentés. La peau semble si lisse, elle, qu'on a du mal à lui donner un âge. Il pourrait avoir mille ans. C'est du moins ce que le nain croit. Mais nul ne connaît le lieu ou la date de sa naissance. Pas même moi…

L'autarque s'adresse parfois à la planète par le biais d'un canal unique. Un petit écran rond, qu'on trouve au coin des rues, incrusté dans un muret ou monté sur un pieu, tel un parcomètre juché trop haut. Je ne sais pas s'il me fera l'honneur de se montrer durant mon exil volontaire ; j'aimerais bien, en tout cas. Tu te souviens de Xénon, dont on a perdu la trace il y a de cela quelques siècles ? Il s'est peut-être réfugié ici avant de se recycler en dictateur. Allez, je t'entends rire à l'autre bout de la planète. Tu ne devrais pas. Nos fantômes finissent toujours par nous rattraper.

J'imagine que tu te demandes si je mange bien. Tu n'arrêtes jamais de me surveiller et tu t'inquiètes dès que je perds le moindre gramme. En fait, je ne sais pas ce que j'ingurgite. Cela ressemble parfois à du poisson farci de mangues en purée, d'autres fois, c'est moins identifiable. Sûrement un mélange de légumes et de céréales. Je ne pose pas de questions. Je me contente de me nourrir et de boire l'eau légèrement bleutée qu'on me livre. Le nain m'assure que je profite d'un traitement exceptionnel, ce dont je doute. Enfin, mon système supporte bien ce nouveau régime. Et puis, d'être loin m'évite bien quelques malaises.

Tu m'as juré que mon départ t'attristait au-delà de toute raison. À vrai dire, qui aurait le cœur à rire sur cette planète étouffante, où les soleils ne se couchent pas et où le beau temps dépend des humeurs du premier volcan venu ?

Je devrais partir pour la planète voisine. Le nain m'a confié que, de ce côté, les habitants vivent six pieds sous terre, dans des catacombes humides, parce qu'ils ne supportent plus la lumière. Si ce voyage doit ressembler à une descente aux enfers, alors, c'est peut-être là que se trouve le véritable terme de mon périple. Qu'en dis-tu ? As-tu amorcé ta propre descente, loin de moi ?

L'autarque m'autorisera-t-il à me soustraire davantage à son infinie bienveillance ?

Le nain qui me sert de guide ne m'a même pas reconnue. Qui l'eût cru ? C'est tellement grisant de marcher incognito dans cette ville silencieuse, sans ton aura de pouvoir autour de moi, sans ton bras pour me serrer contre ton flanc rigide. Je me sens libre, cher époux, cher autarque, et si tu n'envoies pas ta garde spéciale pour me cueillir, je pourrais bien être tentée de recruter des mercenaires pour m'emmener encore plus loin.

Je sais que tu ne prendras pas la plume, que tu ne poseras pas ta langue si douce et si insistante sur le bord gommé d'une enveloppe. Ce serait pourtant la plus belle preuve d'amour que tu puisses me donner. À la place, tu vas donner un ordre, un seul, et l'on se ruera à ma poursuite. Un conseil, cher amour : fais vite. La terre a tremblé il y a peu, et les cendres d'un volcan pourraient bien camoufler ma fuite.

Ta compagne ou ton ombre, cela dépend de toi.

Christiane LAHAIE

Christiane Lahaie est professeure titulaire de création littéraire à l'Université de Sherbrooke. Elle a publié des essais, des poèmes, des nouvelles, un roman et un récit. Elle a été finaliste au Grand prix littéraire de la ville de Sherbrooke 1998 pour **Insulaires** (L'instant même), a mérité le Grand Prix du livre de la ville de Sherbrooke 2004 pour **Hôtel des brumes** (L'instant même) et le Prix Alfred DesRochers 2005 pour **Chants pour une lune qui dort** (Trois).

Sur la plage des épaves

par Laurent McALLISTER

Bernard Duchesne

Le matin après la tempête, Valyr trouva une main sur la plage.

L e derme avait disparu, rongé par la flore bactérienne de l'océan extraterrestre. Dégagé de sa gangue de chair, le plaste de la paume avait l'air neuf. Les doigts à quatre joints, qui avaient passé tout ce temps sous le sable du fond, étaient érodés et crevassés.

Ses lèvres soudées par un sourire désabusé, Valyr ramassa la main et s'amusa distraitement à plier et replier le doigt du milieu. La conception avait été soignée. Malgré les décennies, les articulations en mousse de plaste avaient résisté à l'action corrosive de l'eau salée.

À qui avait-elle appartenu ? À Quandor ? Noirménil ? Gwenglen ? La main n'était plus qu'une épave jetée à la côte, le vestige dérisoire d'une génération de héros. Ils avaient franchi des années-lumière, trimé pendant des années et des décennies, sacrifié leur humanité, et maintenant…

La main gifla le sable mouillé.

Une épave parmi tant d'autres.

Valyr donna du pied dans la relique obscène, la regarda décrire une parabole tremblée et s'abîmer dans l'eau peu profonde du bord en projetant des éclaboussures aussitôt effacées.

Dieu qu'elle était faible ! Elle avait voulu botter la chose si loin au large qu'il aurait fallu des années aux marées solaires pour la ramener. Jadis, elle en aurait été capable. Mais il n'y avait plus moyen de remplacer les points d'ancrage de ses muscles en plaste. Ils avaient commencé à se désintégrer au bout d'un siècle. Il ne restait pas grand-chose de ses muscles d'origine. Sa carcasse actuelle ne représentait pas un très grand fardeau, le plaste étant plus léger que les os et les muscles organiques, mais ses muscles restants suffisaient tout juste à la tâche. Et elle ne cessait de s'affaiblir.

« Il faudrait s'en retourner », l'avertit une voix toute proche.

Elle aperçut Roth. Il avait la mine grave et soucieuse, comme toujours. Elle n'avait jamais découvert s'il jouait la comédie ou non. La population de la colonie avait fondu, mais Valyr avait toujours droit à son propre assistant/garde du corps/surveillant. Les colons obéissaient à des mobiles qu'elle comprenait mal. Elle savait qu'à leurs yeux, elle était une sorte de talisman. L'incarnation des tyrans de la Première Génération, mais aussi la femme qui avait renoncé à ses allégeances générationnelles, celle qui avait changé de bord, celle qui leur avait ouvert la voie des destructions.

Valyr ignora le jeunot (ils étaient tous jeunes, tous, tous, tous, abominablement jeunes, et ils mouraient jeunes – l'espérance de vie avait chuté, elle était de quarante-trois ans et baissait toujours) et elle reprit sa promenade le long de la plage. La brise marine soufflait avec une force et une fraîcheur stimulantes.

Valyr fixa le soleil, ses cornées s'adaptant aussitôt en s'obscurcissant. Il n'y avait pas un nuage pour voiler l'éclat intense de Donnez-Lui-Un-Nom. Une plaisanterie vénérable, et aussi un rappel douloureux des interminables débats qui les avaient occupés durant le voyage.

La mer mitraillée par les rayons du soleil était rouge comme du vieux sang, ensanglantée par une soupe de microbes qui pouvaient tuer en cinq minutes si on avait le malheur d'en avaler plus d'une gorgée.

Valyr repéra du coin de l'œil des clignotements au zénith, d'infimes traînées lumineuses rayant l'azur. Les débris d'une petite comète fracassée dans la haute atmosphère, ses restes se consumant aussitôt. Quand elle ramena son regard vers la plage, le noircissement de ses cornées l'aveugla un instant et elle eut le vertige. Comme dans le vaisseau. Un fantôme de fièvre brûla dans ses veines. Après tout ce temps, elle n'y avait pas renoncé. Elle espérait encore, honteusement, que la fièvre d'alors l'embraserait une dernière fois.

◆

Ah, le vaisseau… Une traversée de vingt années sans sortir d'une boîte de métal, deux mille d'entre eux serrés comme des cartouches dans un chargeur, en attendant d'être tirés dans une cible stationnaire. Dopés jusqu'aux oreilles par un cocktail de drogues : léthargisants, étire-temps, tranquillisants, euphorisants…

Partez pour les étoiles et passez vingt ans au paradis en chemin. Elle se souvenait de la couchette sur laquelle elle était allongée, à dix centimètres de la couchette de ses voisins de part et d'autre, à l'ombre d'une couchette supérieure si proche qu'elle devait se plier en deux pour se lever. Elle se souvenait d'une main anonyme qui se posait sur son sexe et le massait doucement, pendant des heures d'affilée qui ne duraient pas plus de deux ou trois minutes pour elle, jusqu'à ce qu'elle jouisse et s'évanouisse de plaisir. Elle se souvenait des conversations décousues, hachées et saucissonnées et réparties sur des semaines consécutives, en particulier l'enfilade increvable sur les noms à donner à leur nouveau soleil et à leur future patrie. Elle se souvenait des rengaines entonnées par deux cents colons qui chantaient faux, les voix se taisant les unes après les autres à mesure que les chanteurs s'endormaient pour un mois ou deux.

Elle se souvenait aussi des techs qui l'arrachaient à sa couche. « Debout, debout, debout, la grosse ! » Ce n'était pas juste. Ils étaient tous dodus comme des poulets en cage. Les léthargisants leur faisaient gagner de dix à quinze kilos, garantis. Les techs, quant à eux, étaient maigres à faire peur ; ils prenaient une combinaison différente de drogues afin de pouvoir donner leur 110 % tout au long du voyage ou presque. Ils vieillissaient presque à vue d'œil, tandis qu'elle et ses compagnons restaient jeunes et beaux. Au fil des réveils, les techs – tant les hommes que les femmes – étaient devenus acariâtres, maigres et laids. Hideux.

Huit ans après le départ, il y avait eu une épidémie virale. Vingt-trois passagers étaient morts. Leur section était demeurée scellée jusqu'à la fin du voyage, même après avoir été stérilisée par des produits chimiques et des radiations dures. L'infection s'était quand même répandue. Tous les techs avaient chopé le virus, avant de le neutraliser au dernier moment. L'infection recouvrait tout le corps de lésions superficielles. Une fois le virus éliminé, les techs avaient râpé les escarres et les croûtes, mais il en était resté des taches profondes, qui avaient pénétré jusqu'à la base du derme, les tatouages indélébiles de Mère Nature.

Les techs ressemblaient désormais à des clowns sortis d'un cauchemar de schizophrène. Ils déclenchaient les rires euphoriques des passagers béats. (Un des techs s'était attaqué à une passagère avec un laser chirurgical pour lui montrer à quel point exactement c'était drôle. Elle avait survécu, mais lui, on ne l'avait jamais revu.)

« Debout, debout, debout, grouille grouille grouille ! » Ils martelaient chaque syllabe. Un tic acquis en chemin. Ses sens brouillés par les drogues n'étaient pas en cause : ils parlaient vraiment trop vite.

Tituber entre les couchettes, cogner ses tibias aux cadres, jusqu'aux toilettes. Pisser dans un cathéter, chier dans un petit pot, une aiguille plantée dans le bras pour échantillonner son sang. Valyr s'y était habituée. C'était la routine quatre fois par année, même si elle avait l'impression de s'y prêter deux fois par semaine.

Cette fois, une seconde aiguille poignarda l'autre bras. Au lieu de sucer son sang, elle lui injecta quelque chose qui répandit un froid brûlant dans ses veines.

« Allons, bouge ton cul, c'est fini, grouille grouille grouille. »

Elle chancela en se levant. Mais elle commençait à chasser les brumes de son cerveau et à sentir l'hostilité de l'homme.

« Tu veux qu'on baise ? » offrit-elle machinalement. Une excellente façon de calmer les gens, avait-elle appris. Il la repoussa avec une moue de dédain. Elle commençait aussi à remettre un nom sur un sentiment. L'irritation. « Bouge ! » Une gifle en pleine face ponctuant l'ordre. Un autre tech la conduisit à un fauteuil et la força à s'asseoir. Elle grelottait et elle était en nage. Ce qui avait été injecté dans son système sanguin neutralisait les drogues du voyage.

« On est arrivés ? demanda-t-elle.

— Oui. »

Il la gifla, puis il la gifla encore et encore, jusqu'à ce qu'elle se mît en colère et lui rendît sa dernière baffe. En frottant l'endroit qu'elle avait meurtri de son poing, il dit :

« Prends la coursive numéro 11. Tu as la couchette 15 dans la section de récupération. Dès que tu seras remise, présente-toi dans la passerelle et gagne ta croûte. »

◆

Les années de paradis leur avaient appris… quoi donc ?

Qu'il y avait des plaisirs encore plus vifs que ceux de la chair, des orgasmes d'espérance capables de durer des mois, des élans de joie sauvage procurés par la certitude. Par conséquent, ils s'étaient cramponnés à l'espoir quand celui-ci n'avait plus aucun sens et à la certitude de réussir quand elle se muait inexorablement en arrogance. Pourtant, Valyr rêvait encore de se faire dorloter comme avant, abrutie par les drogues, de recevoir du plaisir librement, sans avoir à demander ou à répondre, les pointes de ses seins durcies dans l'attente de nouvelles délices.

Toute la Première Génération avait été marquée. Le voyage avait fait d'eux des accros, et elle savait que c'était en partie l'explication de leur échec. Le paradis leur avait manqué dès leurs premiers pas sur Nouveau-Monde. Elle aurait été tentée d'en faire un nouveau syndrome, s'il n'avait pas si bien cadré avec l'expulsion d'Ève et d'Adam de l'Éden originel…

« Quelle horreur ! cracha Roth, qui l'avait rejointe sans faire de bruit. Un symbole du péché. »

L'assurance béate dont il témoignait pour juger le passé agaça Valyr. De quel droit se montrait-il aussi intolérant ? Il n'y avait pas de quoi être fier.

« Je suis moi-même farcie de plaste jusqu'à la moelle, dit-elle, le rappelant à l'ordre sur un ton acide. Cela veut-il dire que j'incarne le péché ?

— Je suis désolé, Valyr Première… Je n'avais pas l'intention de vous insulter… Je sais que vous avez besoin du plaste. Je voulais dire que, ça ne fait rien, vous l'avez rejeté au bout du compte. Vous nous avez libérés du plaste même si vous n'avez pas pu vous en libérer vous-même.

— Pitié ! Ne me dis pas que tu cites une leçon de l'école. C'est bien ça, n'est-ce pas ? (Elle exhala un souffle syncopé qui n'était pas vraiment un rire.) J'ai un peu perdu le fil de mon procès en canonisation. Je sais que je ne devrais pas, mais, merde, ce n'est bon pour personne de devenir un personnage historique de son vivant. »

Il restait encore un peu de temps. Une heure, peut-être. Elle n'avait pas eu l'intention d'en gaspiller une seule minute à prononcer des discours, mais Roth lui faisait face, tellement gonflé d'ignorance qu'il lui donnait envie de hurler. Elle ne put résister à l'envie de lui dire ses quatre vérités.

Ou peut-être, murmura le fantôme d'une ancienne personnalité, *peut-être que tu veux faire celle qui n'a pas peur, en pérorant pour cacher tes craintes.*

C'est vrai, elle avait été une psy, pas juste une prof... Mais cela ne l'empêcha pas d'aller de l'avant :

« Il ne s'agit pas d'aimer ou de haïr le plaste, Roth. Il existait d'excellentes raisons pour s'en servir. En route pour Nouveau-Monde, un virus a sévi à bord du vaisseau. Rien d'étonnant à cela quand on y pense. Nous étions le bouillon de culture idéal, enfournés dans des couchettes suréquipées, occupés à partager les mêmes plats et les mêmes fluides corporels. Nous respirions le même air, gluant comme nos ébats surchauffés et enivrant comme un vent du paradis. Le virus aurait pu nous éliminer tous, mais nous avons eu de la chance. Je crois que pas un d'entre nous n'a oublié ce court règne de la peur en plein éden. Nous avons retenu la leçon : le biologique, c'est sale, glissant... La chair est faible et on ne peut pas s'y fier. Tandis que le plaste, c'est propre et contrôlable. Et il peut faire tellement de choses, des choses dont tu n'as pas idée. »

Roth la fixait, les yeux arrondis, visiblement stupéfait de l'entendre blasphémer. Pauvre petit. Elle ne lui avait jamais parlé ainsi. Elle gardait ses réflexions pour elle, d'habitude, mais en ce jour tant attendu, elle n'en voyait plus l'utilité. C'était presque *mal*. C'était un peu la fin du monde, après tout. Elle essaya de s'en tenir aux évidences.

« Je ne prétendrai pas que nous avions raison d'employer le plaste comme nous l'avons fait. Seulement que ce n'était pas aussi tranché que les Générations actuelles sont portées à le croire. Nous nous sommes trompés, mais à l'époque c'était loin d'être aussi flagrant que tu pourrais le penser.

— Oui, je sais, c'est pourquoi on a fait la révolution, Valyr Première », dit Roth, répétant un lieu commun de plus.

Cette fois, oui, elle se fâcha. Elle aurait voulu le voir montrer un peu plus de compréhension, mais il se cramponnait aux clichés de sa Génération.

« Tu ne sais pas de quoi tu parles ! »

Si la rebuffade le consterna, ses yeux trahirent un début d'agacement. Elle en fut piquée au vif et n'hésita pas à enfoncer le clou.

« Tu n'as jamais vu la planète que nous avons connue, Roth. Elle a un peu changé, grâce à nous, mais tu n'as jamais quitté Villeneuve et le littoral voisin. Veux-tu savoir pourquoi il y a eu la révolution ? Je vais te l'apprendre. Parce que Nou conspirait contre *nous* ! La planète a fait la guerre à la Première Génération et elle a gagné. La Deuxième Génération a pris le pouvoir par défaut. »

La confusion se lisait de nouveau sur les traits de Roth. Cela correspondait si peu à l'histoire qu'il avait apprise en classe… Elle poursuivit, implacable, de plus en plus péremptoire.

« J'en sais autant sur la colonisation planétaire que quiconque sur ce monde. Et qu'est-ce qu'elle dit, l'experte ? Que cette maudite planète avait été immunisée contre nous. »

Roth en resta bouche bée.

« Pourquoi pas après tout ? continua-t-elle, s'animant au point d'oublier la raison de sa sortie sur la plage et tout le reste. Pourquoi une planète ne pourrait-elle pas acquérir une résistance à la colonisation ? Imagine une planète qui viendrait à bout d'une première tentative de colonisation, un truc vraiment foireux, encore plus que le nôtre, mettons. Les écosystèmes d'un tel monde auraient beaucoup appris sur l'exploitation des faiblesses de formes de vie étrangères… et de nouvelles matières premières. Supposons que d'autres espèces s'essaient, les unes après les autres, pendant des millions d'années, et que la planète l'emporte chaque fois, forçant les envahisseurs à repartir ou à mourir. À terme, nous aurions un monde qui serait vacciné contre les invasions extra-planétaires. Qui aurait tous les anticorps voulus pour venir à bout de l'équipement des envahisseurs, et aussi de leur volonté… »

— Mais une planète n'est pas un être vivant, protesta Roth en fronçant les sourcils.

— Écosphère, alors, ou biosphère, comme tu veux, répliqua-t-elle en haussant les épaules. Tu crois que je divague, hein ?

Mais c'est parce que tu n'as pas vu ce que j'ai vu, ce que nous avons tous vu. Dans les montagnes de la Morena, nous avons découvert d'étranges vestiges. Trop corrodés pour se prêter à des analyses définitives. Gwenglen a toujours voulu croire qu'il ne s'agissait que de concrétions calcaires et ferreuses insolites. Mais peut-être aussi que c'était vraiment ce dont ça avait l'air : les restes d'un crâne extraterrestre et d'un engrenage. Quand on y pense, c'est tellement plus logique ! Comment veux-tu autrement expliquer l'existence d'une gamme de microbes capables de métaboliser tous les polymères concevables, de la cellophane au lexan ? »

Elle le défia du regard, puis gloussa.

« Pauvre petit, tu as tort de me prendre au sérieux. Ta mère ne t'a jamais dit de te méfier des sorcières quand elles se saoulent avec leurs souvenirs ? Une vieille femme comme moi a bien le droit de délirer un peu, quand elle a cent soixante-dix ans bien sonnés. Non ?

— Oui, Valyr Première », marmonna Roth.

Il était visible qu'il était tout à la fois dégoûté par ses paroles et gagné par une forme de mépris. Elle lisait dans ses pensées aussi facilement que si elle avait été une vraie sorcière : *Quel monstre sénile ! elle le cache mieux que ça, d'habitude…*

Elle poussa un soupir excédé.

« C'est de l'ironie, mon Dieu ! Il ne faut pas tout prendre au pied de la lettre, Roth ; mais je suppose que depuis la Cinquième Génération, le combat est perdu d'avance… Disons que c'était une métaphore, si on vous l'enseigne encore à l'école. Ou mettons que c'est prendre la fenêtre au lieu de la porte pour entrer. J'essaie de t'expliquer que la Deuxième Génération ne s'est pas révoltée pour mettre fin à des injustices ou parce que la Première Génération l'ignorait. Ce qu'ils vous enseignent à l'école, c'est de la bouillie pour les bébés. On a simplifié l'histoire pour vous faire avaler la pilule, en vous prenant par les bons sentiments. La vérité est toujours plus compliquée et plus ignoble qu'on a le courage de le reconnaître. La Deuxième Génération nous a renversés parce que Nouveau-Monde nous avait déjà vaincus. Ce qui compte, dans notre histoire, c'est que la planète a fini par gagner. Nous avons survécu jusqu'à aujourd'hui, mais nous savons parfaitement que nous avons depuis longtemps perdu la guerre contre Nouveau-Monde. »

Elle baissa les yeux en l'admettant et fixa le sable scintillant de la plage. Avaient-ils tous refusé de le reconnaître, jusqu'au dernier moment ? Ou étaient-ils parvenus à ne fixer qu'un élément du paysage en ignorant tout le reste, dès leur arrivée sur Nouveau-Monde ?

◆

Ils étaient arrivés, oui. L'hyperchamp s'était effondré aux abords du système de Woolley 9189 et le vaisseau s'était retrouvé dans l'espace einsteinien.

Ils s'attendaient à recevoir un torrent de données de la part des quatre sondes envoyées un siècle plus tôt, qui avaient révélé l'existence d'une planète habitable et déclenché l'envoi de leur expédition. Des données dont ils avaient besoin tout de suite. Tout ce qu'ils savaient du système avait quatre-vingts années de retard, puisque les signaux des quatre sondes, transmis dans l'espace einsteinien, voyageaient à la même vitesse que la lumière de l'étoile.

La profusion espérée n'était pas au rendez-vous. Ils ne captèrent que des crachotements et des marmonnements numériques, du plus mauvais augure. La sonde Alpha avait été détruite. La sonde Gamma s'était égarée quelque part aux abords du soleil. Irrécupérable. Les sondes Bêta et Delta fonctionnaient encore, mais elles étaient lourdement endommagées. Le système de Woolley 9189 était beaucoup plus *sale* que prévu ; par endroits, la densité de particules dans l'espace interplanétaire se comparait à celle du flux de météorites accouché par une comète.

Pourtant, les observations dans l'infrarouge exécutées depuis la Terre n'avaient pas révélé la trace spectrale typique de poussières en orbite, alors que de telles concentrations auraient dû incendier les capteurs à l'instar d'un disque protoplanétaire. L'équipage avait mis des années à comprendre ce qui s'était passé. Les sondes avaient accumulé des masses de données, dans lesquelles on avait retrouvé la détection d'une naine brune à moins d'une année-lumière. Celle-ci avait perturbé le nuage d'Oort du système quelques siècles plus tôt, déclenchant une avalanche de comètes qui arrivaient tout juste quand les observations avaient commencé. Il avait fallu un autre siècle pour que les poussières s'accumulent au gré des collisions avec des planètes, des passages au ras de Donnez-Lui-Un-Nom, des effritements par les forces de marée, de l'éjection de gaz et de poussières quand la croûte était chauffée ou tiraillée…

Et les poussières s'accumulaient toujours, et continueraient à s'accumuler pendant des millénaires. Les impacts cométaires risquaient de se transformer en rite annuel sur la plupart des planètes intérieures.

À l'époque, ils en avaient voulu (à tort) aux scientifiques de la Terre, qui n'avaient rien remarqué. Et ils étaient allés de l'avant. Les grains de poussière étaient minuscules, mais de la poussière éparpillée à des vitesses cométaires était dangereuse. Au fil des ans, des milliers et des milliers d'impacts étaient venus à bout des sondes. Le bouclier d'ablation du *Naos* essuyait déjà un bombardement impitoyable.

Ils s'élancèrent vers le soleil. Grouille grouille grouille. Nouveau-Monde emplissait les écrans. L'espace environnant était encore plus poussiéreux; Alpha avait été pilonnée sans merci, cinquante ans plus tôt. Ses moteurs de contrôle étaient tombés en panne; son orbite à la lisière de l'atmosphère s'était dégradée; la sonde avait dégringolé, se consumant dans la stratosphère.

À son tour, le vaisseau adopta une orbite autour de Nouveau-Monde. Vingt ans durant, les machines et les instruments et les gens qui remplissaient le vaisseau avaient attendu, tous inertes, éteints, endormis. Immobiles comme une vague immense sur le point de s'abattre et de balayer une ville. Le moment était enfin venu: la vague s'anima et s'abattit sur la planète étrangère.

Ils avaient cinq navettes, et un radiotélescope gigantesque, et des satellites secondaires à égrener en orbite. Ils déployèrent ceux-ci sans tarder. Grouille grouille grouille. Les techs consumés par l'impatience enchaînaient leurs ouailles abruties à des machines de musculation, debout debout réveillez-vous.

Valyr, une fois les brumes chassées de son crâne, se vit assignée à un poste de télémesure, à l'écoute des satellites et des navettes, mais dans un cadre redondant. Un des techs veillait sur le poste principal, elle s'occupait du poste secondaire et un autre passager, qui souffrait encore de retours de paradis, était affecté au tertiaire.

Elle en était revenue, elle, du paradis et elle devinait sans peine que ces tâches de pure forme avaient pour but de précipiter l'éveil de chacun. Pour se rendre utile et ne plus se faire souffleter à tour de bras, elle se concentra sur les écrans et les commandes.

ÉCONOMISEZ 1 $

sur votre prochain achat
de céréales Avoine Croquante*
Amandes et vanille

ÉCONOMISEZ 1 $

sur votre prochain achat de céréales
Avoine Croquante* Amandes et vanille

Date limite : le 31 décembre 2009

76139127

Elle brancha ses canaux auditifs sur les signaux de la navette *Narthex* qui avait pénétré dans l'atmosphère et s'apprêtait à atterrir. Les membres d'équipage livraient leurs impressions en vrac, sans toujours s'écouter.

« L'océan est rouge à proximité des côtes. Pas de volcans actifs dans la région…

— Mais j'ai repéré de vieux cônes de scories.

— Ouais, ces champs d'algues ont l'air très familiers…

— Nous sommes beaucoup trop au sud. Il y a un courant chaud peut-être, ou des sources de chaleur géothermique. Sans doute les mêmes points chauds qui sont responsables du volcanisme. »

Les mauvaises nouvelles affluèrent dès que les navettes se furent posées. D'abord, l'excitation redoubla.

« Regardez ça, ce n'est pas de la rouille sur ces roches !

— Et ce ne sont pas des roches !

— Minute, je ne sais pas jusqu'où ça descend… »

Valyr prit la fuite, abandonnant son poste. Le tech lui jeta un regard dégoûté et elle grogna qu'elle se sentait malade. Même si elle demeura plusieurs minutes dans les toilettes, secouée par des haut-le-cœur sans rien vomir, ce n'était pas une réaction aux drogues du réveil. C'était la peur brute. Et peut-être un pressentiment.

La vague retomberait, vaincue par la terre immuable. L'eau peut, si on lui donne les millénaires nécessaires, raboter un promontoire rocheux et n'en laisser que poussières. Mais ils n'auraient que quelques décennies, et non des millénaires. Et, tout compte fait, ils étaient trop peu nombreux.

Grouille grouille grouille ? La vie grouillait déjà à la surface de leur nouveau monde. La terre ferme était partout recouverte de tapis microbiens de plus de deux mètres d'épaisseur. Rien pour arrêter la première navette, qui dut crever la masse gluante pour se poser. Même si elle tangua un brin, ni l'atterrissage ni le décollage subséquent ne furent gênés. La ruine de leurs espoirs se dégagea plutôt des informations recueillies par les instruments.

Les microbes avaient de quoi faire bander un bioguerrier. Ils sécrétaient une centaine de familles différentes de composés dont la toxicité était spectaculaire. Les techs supputèrent qu'il suffisait de passer quinze minutes sans protection à la surface de la planète pour choper une dose mortelle.

L'évolution ici avait suivi un cours différent, presque prévisible. Les biofilms et les colonies microbiennes avaient triomphé des formes indigènes de vie multicellulaire et useraient des mêmes armes contre les nouveaux venus. La vie sur Terre avait évité ce sort... ou il convenait peut-être de se souvenir que les unicellulaires avaient régné deux fois plus longtemps que leurs descendants pluricellulaires.

Il était possible d'incinérer les microbes avec les lasers, certes, de tout brûler jusqu'au substrat rocheux. Facile. Pour découvrir ensuite que la vie s'était insinuée si loin dans le roc qu'il aurait fallu excaver une vingtaine de mètres pour atteindre des strates « vierges ». Une virginité toute relative, car il y avait toujours contamination ; mais elle était sous le seuil de la détection, disaient les techs, sans garantir qu'indétectabilité fût synonyme de sécurité.

De plus en plus désespérés, les techs morcelèrent des quartiers de roc avec des charges explosives, les réduisirent en fragments plus petits, les stérilisèrent par immersion dans une série de bains corrosifs, les pulvérisèrent, puis les ensemencèrent avec des bactéries d'origine terrestre optimisées pour le compostage. Ils obtinrent en fin de compte un excellent terreau fertile. Qui, une fois exposé à l'environnement extérieur, se fit contaminer en quelques heures par des microbes indigènes aériens dont les toxines éliminèrent rapidement leurs rivaux terriens.

L'atmosphère à bord du *Naos* avait tourné au vinaigre. Le sentiment d'urgence des techs s'exerçait dans le vide, car il n'était plus question de se dépêcher. Pour aller où ? Les navettes sillonnaient la planète, recueillaient des échantillons et revenaient chaque fois avec les mêmes résultats merdiques. Le seul élément positif découvert durant les premiers mois concernait la mer – elle était sûre, relativement parlant. Boire de son eau pouvait tuer, mais les concentrations de toxines étaient nettement plus basses. La microflore marine comptait sur des espèces différentes, moins hostiles à la vie d'origine terrestre. On pouvait respirer l'air à la surface de l'océan sans mourir, du moins pas avant deux ou trois jours.

Ils essayèrent toutes les façons possibles de se débarrasser des microbes. Le nettoyage par stérilisation chimique ou bombardement radioactif s'avéra efficace, mais le sol sans vie ne tardait pas à être envahi de nouveau par l'air ou par l'eau. Quant à la stérilisation permanente, elle exigeait des doses de radioactivité ou d'agents chimiques nocives pour l'organisme humain. La génétique n'était pas dans la course. Les microbes n'étaient pas à base d'ADN; leurs fondements biochimiques étaient à la fois semblables et complètement étrangers. Il faudrait des années pour déchiffrer le sens des unités génétiques des quadruples torons.

Néanmoins, ils en apprenaient toujours un peu plus. Il n'y avait rien d'autre à faire que lutter, échouer et retenir un petit quelque chose des erreurs commises. Par exemple: les espèces opportunistes qui envahissaient les lopins stérilisés formaient des structures semblables à un mycélium dont les filaments se composaient de dizaines de millions de cellules. Était-ce l'avant-garde des éclaireurs, chargée de la reconnaissance avant l'occupation du terrain? L'espèce en question ne se retrouvait que sur le continent, ce qui expliquait peut-être l'absence en mer des espèces les plus toxiques.

Une année s'était à peine écoulée que les sous-systèmes du *Naos*, soumis au bombardement sans relâche de poussières météoritiques, commencèrent à flancher. Il fallait trouver une solution. Ils ne pouvaient pas attendre en orbite l'arrivée de la seconde vague à bord des arches stellaires subluminiques. L'environnement artificiel du vaisseau ferait défaut bien avant.

Si le continent était trop hostile, il restait le littoral. Il existait des plages sablonneuses où les tapis microbiens étaient absents. Il n'y avait pas la place pour édifier une colonie et les concentrations en toxines demeuraient trop élevées. Si même le littoral était trop hostile, il restait la mer. Les techs avaient déjà envisagé la construction de complexes flottants provisoires, en forme d'étoiles de mer.

Un but, en attendant mieux? Un objectif réalisable? Les techs n'en demandaient pas plus, même s'il fallait démanteler pour cela le *Naos*. Les équipes de construction se firent réveiller avec la prévenance habituelle des techs. Grouille grouille grouille, on descend. Le temps file et nous voulons un chez-nous.

Quelques-uns des techs restèrent dans l'espace, s'installant à demeure en orbite pour s'occuper du radiotélescope. Valyr regretta tout bas que d'autres n'eussent pas fait le même choix de rester là où ils seraient isolés dès le recyclage des dernières navettes. De toute évidence, les techs éprouvaient la même affection pour leurs anciens protégés. Quand ils avaient dit *grouille grouille grouille*, ils voulaient dire *grouillez-vous de là et laissez-nous tranquilles!*

Elle avait quitté la station orbitale à bord de la navette *Torii*, en compagnie des derniers passagers à descendre d'orbite. Quand la navette s'était posée, elle avait senti le léger tangage du complexe balancé par les vagues. Elle avait fait mine d'être malade et elle avait laissé les autres sortir avant elle, pour être la dernière à voir la surface de Nouveau-Monde pour la première fois. Nouveau, comme on finirait par l'appeler. Nou.

Nou. Nous étions sur Nou, mais nous n'étions pas chez nous.

◆

Valyr soupira. La brise devenue glaciale la faisait grelotter, pénétrant le tissu élimé de sa veste aussi facilement que ses souvenirs remontaient des profondeurs où ils auraient dû rester enfouis. Elle marchait au hasard, presque à l'aveuglette, et Roth la suivait de loin.

La voyant frissonner, il accourut.

« Il faut rentrer, maintenant », suggéra-t-il sur un ton qui n'était pas tout à fait narquois, mais qui n'était plus aussi respectueux.

« Ce n'est pas mon premier hiver, jeune homme. J'en ai vu d'autres et je suis la mieux placée pour savoir quand il faudra que je rentre ! » répliqua-t-elle, encore furieuse, tout en songeant, *Mon Dieu, je commence même à radoter comme une vieille…*

« Comme vous voulez, Valyr Première. »

La voix de Roth avait retrouvé sa déférence habituelle.

Il y eut une nouvelle rafale, encore plus forte, et Valyr obliqua dans la direction de Villeneuve, confessant tacitement sa défaite. Roth resta à ses côtés, sans rien dire. Il était tout d'une pièce, c'est ce qui l'embêtait.

Il y avait trop peu de personnes à l'intérieur de cet homme pour le rendre tout à fait réel pour Valyr. S'il avait été de la Première Génération, au temps fébrile du débarquement sur Nouveau-Monde, il aurait déjà changé d'identité et ils parleraient d'autre chose, d'une urgence quelconque (tout était urgent, à l'époque, et tout le temps). Leurs positions auraient été renversées ; il donnerait des ordres, elle obéirait. Des instructions pour de nouveaux tests, des logiciels ou des plans d'agrandissement des complexes marins. Et, pendant ce temps, elle ne cesserait de voir en lui ses autres incarnations, le partenaire de *jai alai*, l'artiste qu'elle voulait surpasser, et l'amant aussi, bien sûr, elle serait en train de se demander comment il faisait l'amour, et quel serait le meilleur endroit, et quand...

Valyr se souvint d'Hilbert avec un pincement de culpabilité qui lui coupa le souffle. Elle avait cessé de dénombrer ses descendants ; elle aurait sans doute pu tous les recenser sur papier, ou dans sa tête, car les survivants n'étaient pas si nombreux. Mais elle ne voulait pas. Désormais, tous les habitants de la planète étaient probablement de sa parenté, de toute façon, et l'inceste une réalité quotidienne.

◆

Les techs avaient été les premiers à périr, quelques années après le débarquement. Certains des colons avaient été soulagés, voire satisfaits. En fin de compte, les techs n'étaient-ils pas jetables, des pièces d'équipement dont on n'avait plus besoin et dont on pouvait se passer ? Valyr n'était pas loin de le penser aussi.

Mais pas la première fois qu'un tech était mort. La femme avait suffoqué dans son sommeil, les voies respiratoires obstruées par une poussée de lichens indigènes. Sa mort horrible avait permis aux techs d'analyser *in situ* un des premiers cas de contamination par la vie locale.

La colonie avait fait d'elle une sainte. Son nom avait été gravé dans le titane et on lui avait voué un culte. Mais cela faisait si longtemps que Valyr ne se souvenait plus de son nom. La paroi en question gisait sans doute au fond de la mer. Roth le connaissait peut-être, ce nom ; sans doute qu'on en racontait encore l'histoire à la petite école, malgré tout.

Elle ne le lui demanda pas.

Cette mort, cette expérience accidentelle, leur avait appris des choses qu'ils avaient besoin de connaître. Ils avaient même trouvé une solution. Enfin, l'ébauche d'une solution. Les défenses du système immunitaire humain étaient capables, dans quelques cas, d'affecter la vie indigène. Les techs modifièrent donc l'organisme des colons de manière à produire de nouvelles enzymes qui étaient autant de poisons pour la vie indigène. C'était une contre-mesure toute simple, mais elle était efficace. Et ils avaient tellement besoin d'un signe, du moindre signe de progrès, de la moindre preuve qu'ils avançaient vers leur but !

Des décennies plus tard, la modif les protégeait encore des moisissures portées par le vent. Elle permettait aux humains de se promener sans inquiétude le long de la mer, mais les toxines restaient dangereuses. Plusieurs amis d'enfance de Roth étaient morts de s'être aventurés à l'intérieur des terres et d'avoir mis le pied dans un tapis microbien plus vénéneux que la moyenne.

Une modif génétique était trop radicale pour satisfaire les plus difficiles et la Première Génération s'empressa d'y substituer du plaste. Ils espéraient encore se passer de toute béquille quand Nouveau-Monde serait terraformé. Le plaste ne se confondait pas avec l'organique et il était plus performant, de toute façon. Des implants en plaste, répartis dans tout le corps, générèrent les enzymes voulues et il devint possible de sortir à l'air libre et de respirer sans crainte. Ça puait toujours autant, mais les colons n'en étaient plus à ça près.

Le plaste était pratiquement invulnérable aux formes de vie indigènes. C'était un matériau miracle : solide, résistant, léger, intelligent, actif au niveau nanoscopique…

De fait, le plaste était aux rêves primitifs de la nanotechnologie ce qu'un ordinateur moderne était à la machine analytique de Babbage, ce qu'un statoréacté à combustion supersonique était à l'ornithoptère de Léonard de Vinci : plus complexe dans sa conception, infiniment plus riche d'applications, sujet à des contraintes imprévues, et pourtant… Il avait révélé les immensités intérieures de la matière et creusé jusqu'à ses tréfonds longtemps tenus pour inaccessibles. On pouvait en fabriquer avec un peu de sable et d'air. Pour établir une colonie sur Nou, il aurait suffi d'en produire à la tonne et d'en façonner des humains de la tête aux pieds.

Bien sûr, personne n'aurait avancé une suggestion aussi démente. Enfin, pas tout de suite.

◆

Sur Nou, un rêve avait pris fin, un rêve fiévreux, haché par des intervalles de sommeil ralenti et ressoudé par le sexe sous toutes ses formes… Rien de plus simple que l'amour à bord du *Naos*. Faire l'amour, leur avait-on expliqué, est le moyen retenu par l'évolution pour nous de se lier avec autrui, le meilleur moyen d'entretenir l'esprit de corps (ha ha !) et de combler la distance qui favorise l'ignorance mutuelle, l'incompréhension, les querelles et les brouilles. On ne va pas expédier des asociaux à l'autre bout de l'univers, oh que non, la Terre envoie un équipage d'êtres sociaux, ils vont passer le temps en baisant et ils vont adorer ça.

L'atmosphère n'en sera que meilleure à bord. Les gens mettront plus d'empressement à collaborer. Et ils auront moins de rhumes en prime – mais Valyr avait trouvé que c'était pousser un peu trop loin les vertus de ce qui n'était au fond que la dernière manie des DRH.

Au début, la vie n'avait pas été si différente. Elle fit équipe avec Keller, qui forçait le rythme pour en faire toujours plus plus plus. Ce n'était plus grouille grouillle grouille. Il n'y avait nulle part où aller. Rien que les cinq étoiles de mer, des structures flambant neuves qui égrenaient dans le désordre les rappels du passé. Des sections connues de l'ancien vaisseau prêtaient une familiarité trompeuse aux écoutilles et aux coursives qui aboutissaient à des culs-de-sac imprévus ou à d'anciennes salles de réunion devenues des appartements intimes. Chaque erreur soulignait le caractère définitif de leur isolement à soixante années-lumière de leur monde d'origine.

Valyr s'était cramponnée à Keller et à son groupe de chercheurs, qui avaient déjà leurs habitudes. D'abord, c'était *plus plus plus*.

Toujours plus de plaste, bien entendu. Une usine de transformation de protéines avait été construite au large, profitant du va-et-vient des marées pour filtrer un flot continu d'eau de mer. Au moyen d'un analogue en plaste d'une protéase active, ils dissociaient les microbes marins et les dissolvaient dans des bioréacteurs. Après quelques mois de rodage, les cuves produisaient des tonnes de matière première par semaine. À l'intérieur du complexe Ziggourat, des assembleurs en plaste en convertissaient l'essentiel en nourriture ; le reste était pompé dans les labos, pour alimenter les unités de fabrication du plaste.

Les équipes de recherche consommèrent des quantités phénoménales de plaste, jamais comptabilisées. Toujours plus, tel était leur slogan. Pour fabriquer des arbres en plaste afin de coloniser le continent, des chevaux de Troie qui abriteraient au cœur du xylème des microbes alliés qui feraient mieux que les variétés locales. Ou pour munir des animaux d'une armure de plaste et d'un système digestif capable de se nourrir de bactéries indigènes.

Ils faisaient tourner des simulations entre chaque série de prototypes – Valyr les aidait à concevoir les algorithmes génétiques. Les tests en grandeur réelle permettaient ensuite d'évaluer les scénarios de réalité virtuelle.

Apprendre, toujours apprendre, malgré le manque de ressources, malgré le manque de personnel, qui les obligeait à jouer trop de rôles différents. Ils lançaient des hypothèses hardies, jetant des passerelles fragiles par-dessus le gouffre entre la virtualité et la réalité, trop frêles dans la plupart des cas pour supporter le poids des applications appelées à les emprunter. La nuit, incapables de se reposer, ils faisaient l'amour, leurs couches bercées par la mer jamais au repos. Les femmes du complexe Vihare avaient surnommé Keller le Docteur Bonnechair, même s'il le devait surtout à ses prothèses en plaste.

Avant cinq ans, les premiers enfants étaient nés. Le contrôle des naissances n'était pas une priorité, et puis, ils se sentaient seuls. Les premiers temps avaient été terrifiants. Les enfants couraient partout, s'exposant à des dangers que les adultes n'auraient jamais imaginés, même si le pire restait la flore microbienne des flots vineux, relativement inoffensive malgré tout. La plupart des bambins tombés à l'eau avaient été repêchés vivants.

Néanmoins, le système immunitaire des jeunes de la seconde génération s'adaptait trop lentement aux menaces de Nou. La stérilisation des flotteurs et des entretoises des étoiles de mer était devenue cruciale, mais les médecins continuaient à diagnostiquer des infections opportunistes d'origine indigène jusqu'à ce que Keller proposât de renforcer les défenses immunitaires immatures des enfants par une nanoflore en plaste.

Il y eut des objections. Les animaux débarqués du *Naos* n'avaient pas duré longtemps sur Nou, malgré leurs implants. Quelques-uns avaient été munis de biosystèmes expérimentaux à base de plaste, mais en vain. De quel droit les chercheurs croyaient-ils faire mieux avec des humains ? Nous en savons plus sur les humains, répliqua Keller. Et puis, il y a tellement de place au bas de l'échelle. Au besoin, on n'aurait qu'à tripler, quadrupler la redondance pour obtenir la performance recherchée.

Ils étaient encore jeunes, échauffés par des espoirs ardents que rien n'avait pu refroidir, certains de conquérir un continent, et un monde entier qui dormait au-delà de l'horizon. Ils n'allaient pas s'arrêter en si bon chemin.

◆

Plus l'horizon tombait sous le soleil, plus le sable étincelait, mais ce n'était pas un quelconque mica indigène qui brillait ainsi. Les vestiges des étoiles de mer étaient souvent jetés à la côte par ici. Les jeunes générations appelaient cette grève la plage des épaves. Certains s'amusaient à collectionner le plaste marin – les morceaux de vieux plaste corrodé et remodelé par la mer. Les scintillements provenaient d'infimes éclats de verre et de métal, ultimes vestiges des complexes marins. Et avant ceux-ci, vestiges aussi du *Naos*. Et vestiges de la Terre si on remontait jusqu'à la source.

La beauté du paysage s'imposa à Valyr pendant un moment fugitif, une splendeur à ce point étrangère que la Première Génération n'y avait pas souvent été sensible. Certes, le moutonnement rosé des vagues, le bleu délavé du ciel, l'éclat teinté d'or de Donnez-Lui-Un-Nom et la brillance du sable blond platine agressaient le regard. Les coloris intenses et les courbes dépouillées étaient trop austères pour réjouir le cœur, mais Valyr goûtait quand même l'économie presque abstraite de la composition, comme le premier aperçu d'un paysage désertique dont la pureté coupe le souffle.

Elle n'était pas la même personne, peut-être, quand elle reconnaissait la beauté du paysage. Une véritable indigène, pendant quelques secondes? La seule sur ce monde, dans ce cas, le seul être pensant qui pouvait prétendre être chez soi sur cette planète. Le sentiment la quitta. La beauté austère et douloureuse du monde s'en évanouit sous ses yeux et elle redevint la femme qu'elle avait été quelques instants plus tôt. En train de reculer dans les passages du temps, pour retrouver les mues de ses incarnations précédentes.

◆

Dans les étoiles de mer, les jours et les nuits se confondaient. L'effet d'un horaire de vingt-quatre heures quand la période de révolution de la planète en comptait plus de quarante. Plus efficace, plus adapté au corps humain, et patati et patata, mais la vraie vérité, c'est que c'était un lien avec la Terre. Ils ne sortaient que pour l'entretien et le nettoyage. Et on ne savait pas, avant de mettre le pied dehors, si on travaillerait sous un soleil de plomb ou à la lumière de l'unique lune de Nouveau-Monde, qui avait la forme bosselée d'une pomme de terre.

Comme une série d'accidents avait aussi entraîné l'interdiction faite aux enfants de sortir, la planète ne se rappelait pas souvent à eux. Une seule exception : les expériences à compléter sur la terre ferme, qui étaient confiées à des volontaires. Quand ils n'étaient pas requis comme cobayes.

Il y avait tant à faire. Toujours. Le temps les aiguillonnait. Le souvenir de la Terre s'estompait et la Première Génération s'usait à la tâche. Le sentiment d'urgence des premiers temps était revenu à la charge, sauf que le temps implosait au lieu de s'étirer comme à bord du vaisseau. L'amour se résumait à quelques minutes de transpiration, un répit sans conséquence au lit avec le Docteur Bonnechair qui, avant de jouir, l'appelait « Ma chère pute... » Après, elle le laissait ronfler, chaussait sa visière d'interface et exhumait le bloc-notes des vêtements en désordre sur le plancher. Dans l'espace-système, elle adoptait d'autres rôles, récupérait des souvenirs rangés dans des arborescences distinctes, vieillissant ou rajeunissant selon les cas, très loin de son corps réel.

Pas de temps à perdre. Jamais. Elle redevenait une programmeuse chargée de rogner les ailes du temps, optimisant jusqu'au petit matin les routines et les algorithmes pour qu'ils mettent quelques secondes de moins à s'exécuter.

Si Keller ne s'endormait pas, étendu en travers du lit comme une chaîne de montagnes, il avait tendance à lancer des déclarations sans préavis. Parfois, il prêchait.

« Il nous faut transcender ces corps dérisoires. C'est de leur faute si nous n'y arrivons pas.

— Dérisoires ? répéta Valyr en choisissant d'en rire. Tu parles pour toi, j'espère, mon cher ! »

Elle avait du mal à situer cette conversation dans le temps, portée à la dater des débuts, une petite poignée d'années après le débarquement sur Nouveau-Monde, à coup sûr avant la naissance de l'aîné de ses enfants. Dans sa tête, pourtant, la conversation en question se confondait avec une discussion postérieure de vingt ans, lorsque Keller lui avait dit qu'elle avait besoin de nouvelles mains.

« Ton corps sait qu'il a passé les soixante-dix ans, ma chère, même si tu ne les fais pas. La meilleure façon d'éviter l'arthrite, c'est de l'attaquer à la source en éliminant la cause du problème, et non de réguler le système immunitaire au cas par cas.

— Tu comptes les années à bord du vaisseau, rétorqua-t-elle. Je peux encore…

— Voyons, Valyr, ne sois pas ridicule. »

Elle n'ajouta mot, incapable d'avouer la vérité. Le plaste l'effrayait. Elle était une des plus jeunes de la Première Génération, et de voir ses collègues vieillissants opter de plus en plus pour des substituts de plaste à la place de leurs organes défectueux l'horripilait au plus haut point.

En fait, les labos ne se contentaient pas de remplacer la chair par le plaste : ils modifiaient, ils amélioraient, ils ajoutaient. Il lui avait fallu quatre ans pour s'habituer à son propre assortiment de muscles d'appoint unissant gaines et points d'ancrage. Pour s'habituer surtout à ne jamais déployer toute sa force, de peur de casser des os qui seraient reconstruits un jour avec des renforts de plaste.

Mais elle acquit de nouvelles mains et personne ne lui fit de remarque à ce sujet, jusqu'à Hilbert. Elle l'avait fait venir dans sa chambre. Jouer la soumise avec Keller rendait le rôle contraire d'autant plus excitant.

Chair et plaste, raisonnable et déraisonnable, vivant au présent et au futur. Les rôles et les personnalités s'accumulaient. Pute et chercheuse, esclave et maîtresse… Le seul moyen de s'en tirer, c'était de ne jamais s'arrêter pour y penser. Grouille grouille grouille.

Hilbert était un Deuxième, incapable donc de refuser l'invitation d'une Première comme Valyr. Il se présenta avant l'heure, la surprenant en train de brancher sa main gauche. Comme il était assez jeune pour être surtout fait de chair (en apparence), il rougit, comme si elle venait de trahir son âge et sa faiblesse. Il ne comprenait rien, ce qu'il confirma en lui demandant plaintivement :

« Alors, vous aussi ?

— Ah, ne fais pas l'enfant, Hilbert ! Le calepin avait de plus en plus de mal à reconnaître mes griffonnages.

— C'est vous qui disiez que vous n'aviez pas peur de vieillir, que vous n'alliez pas céder à l'attrait de ces… gadgets.

— Je n'ai pas peur de mourir, mais je ne suis pas encore à la retraite. On a encore besoin de moi. »

Il poussa un soupir, convaincu de l'inutilité d'en débattre.

« Tourne-toi, ordonna-t-elle. Tu vas voir si ces mains sont vraies ou non.

— Oui, Valyr Première », dit-il, le ton soumis.

Elle tressaillit, piquée au vif. Il n'avait jamais employé auparavant ce titre honorifique, même s'il l'avait souvent asticotée sans exprimer toute l'amertume qu'il avait accumulée.

Hilbert était un sacré veinard. Adolescent, il avait été condamné à jouer le rôle de cobaye dans une expérience sur le continent, pour avoir été l'instigateur d'une farce puérile qui avait tourné au vinaigre et failli entraîner la mort de quatre personnes.

Il était revenu vivant du test grandeur nature des biosystèmes en plaste, ne souffrant que d'une faim dévorante, de plaques d'urticaire et de l'implantation de colonies symbiotiques de microflore indigène sous la peau. Les médecins avaient éliminé les colonies, non sans mal, mais sa peau restait marbrée par des nébuleuses cramoisies pâlissantes.

Toutes les fois qu'elle faisait l'amour avec lui, Valyr se souvenait des techs du *Naos* et de leurs chéloïdes violacées.

◆

Le sable craquait sous ses pas comme de la poussière d'os. Les restes de ses collègues étaient sans doute présents dans la mixture de vitre pulvérisée, de flocons de plastique calcinés, de métal en miettes et de plaste corrodé… Valyr foulait les cendres de sa vie, mais le passé brûlait toujours à l'intérieur d'elle. Inaccessible au froid, elle ne sentait plus la brise marine, pendant qu'elle remontait le cours de sa mémoire pour revenir dans cette chambre chaude, presque étouffante, au cœur du dédale d'une étoile de mer, avec des questions qui l'avaient à peine effleuré à l'époque.

Quel sens avait-elle donné au fait d'être la mère d'Hilbert ? Fort peu, insistait son incarnation septuagénaire. Pour elle, il n'était qu'un fougueux étalon. De la jeune chair – mais pas trop jeune ; il avait quitté son ventre depuis près de deux décennies – et elle ne le prenait pas dans sa couche dans son rôle de mère. De toute façon, elle était loin d'être la seule à le faire.

Quel sens Hilbert avait-il donné au fait d'être son fils ?

Une question plus compliquée. Elle ne l'avait jamais posée et elle n'avait pas le moindre élément de réponse. Pas plus que la plupart des membres de la Deuxième Génération, Hilbert ne parlait beaucoup. En fait, il en disait si peu qu'elle n'avait deviné la vérité que bien plus tard. Pour la Deuxième Génération, la Première ne comptait que des extraterrestres, plus vieux d'un bon demi-siècle si les années d'Éden, les années du *Naos*, étaient comptées. Marquée par l'expérience commune d'un séjour au paradis, la Première Génération était devenue une bande de schizophrènes érotomanes qui vénéraient un idéal abstrait qu'ils appelaient la Terre. La Deuxième Génération n'arriverait jamais à partager la même foi indéracinable, malgré les visions accordées par les grands-prêtres, malgré la musique de la Terre que les adolescents avaient adoptée avec enthousiasme, malgré les voix qui résonnaient dans le vide étoilé.

La Deuxième Génération ne s'intéressait pas à la métaphysique de ses aînés et tolérait leurs bizarreries. Il leur avait peut-être semblé naturel d'être initié aux choses de l'amour par leurs parents, qui avaient fait du viol des écosystèmes naturels de Nouveau-Monde la base même de leur existence.

◆

Au fil des décennies, Valyr avait fini par reconnaître que la naissance de la Troisième Génération avait été un point tournant. Évidemment, personne ne s'en était rendu compte à l'époque. La Première Génération était trop orgueilleuse, trop passionnée par les défis de la colonisation, pour comprendre. Cela se passait une trentaine d'années après l'arrivée sur Nouveau-Monde. La Deuxième Génération avait attendu avant d'avoir des enfants, pour toutes sortes de raisons, dont le manque d'espace n'était pas la moindre. Les étoiles de mer étaient presque aussi surpeuplées que le *Naos* l'avait été.

Valyr profitait de toutes les occasions pour quitter les complexes marins. Elle avait rejoint le corps des arpenteurs, qui comptait un nombre grandissant de membres de la Deuxième Génération, puisque la Première renonçait progressivement aux activités exigeant de quitter le décor familier des étoiles de mer. La jeune génération mourait d'envie de visiter un peu le reste de la planète et les meilleurs pilotes des derniers appareils de reconnaissance étaient des Deuxièmes.

Les arpenteurs étaient chargés du suivi des expériences en cours çà et là sur le continent. Ils étaient aussi les gardiens désignés des villes fantômes de Nou, des collections d'édifices élevés à l'intérieur des terres pour braver la furie toxique de la vie indigène.

Choisir où construire ces villes n'était pas simple. Toutes les matières premières devaient se trouver sur place pour que les assembleurs à base de plaste puissent les réunir avant d'entamer la construction en tant que telle. Les meilleurs sites combinaient un accès à la mer, une source d'eau douce, du sable à proximité et des gisements de minerais utiles. Les édificateurs programmés faisaient le reste : les maisons poussaient comme des coquilles vides sous la forme de structures coralliennes percées de conduits pour les fibres optiques et des fils électriques, avec des citernes pour la fermentation anaérobie des ordures. Il suffisait d'appliquer un revêtement de béton pour en faire une maison sans prétention mais solide. On pouvait même faire pousser du mobilier, en version bois ou plastique.

Restait un problème. Les plans dressés sur Terre avec soin supposaient que la vie indigène ne serait pas un facteur. Sur le terrain, les micro-organismes de Nouveau-Monde colonisaient les nouvelles villes dès que s'élevaient les premiers édifices. Même en opérant dans les conditions les plus stériles possible, on ne pouvait empêcher l'apport nutritif des vents et des pluies d'engendrer des infestations. En plus de sécréter la panoplie habituelle de toxines, elles finissaient par prendre goût aux composantes de la cité. La plupart des meubles seraient dévorés par petits bouts au fil des ans. Il était possible de nettoyer les édifices et le mobilier, en chauffant, en frottant, en utilisant des détergents concentrés, mais à quel prix ? La colonie n'avait ni la main-d'œuvre requise ni les moyens d'affecter des unités robotiques à cette seule tâche. Il fallait donc trouver des matériaux de construction et des revêtements qui résisteraient aux infestations, d'où l'essai sur le terrain de centaines de permutations. Jusqu'à maintenant, pas une combinaison n'avait tenu le coup.

Mais il n'y avait plus de place dans les complexes. Les planificateurs de Noirménil avaient décrété qu'il était temps de quitter la mer. La Troisième Génération commençait à naître et le surpeuplement ne tarderait pas à devenir intolérable. Comme il était impossible d'emménager dans les villes fantômes, la construction de Villeneuve avait commencé, pour accueillir la

Troisième Génération. Tout ce qu'ils avaient appris dans les villes désertes du continent servirait au nouveau projet, situé sur une étroite barre sablonneuse tout juste sous l'horizon des étoiles de mer.

Un gigantesque effort initial avait délogé les tapis microbiens et un entretien de tous les instants les empêcherait de revenir. Les plages de part et d'autre resteraient propres grâce au va-et-vient purificateur des marées. Ils avaient fondé Villeneuve sur un banc de sable : ce n'était une solution ni élégante ni efficace, mais la ville aurait le mérite d'exister. La Troisième Génération grandirait là, dans un assortiment de structures assemblées à partir du sable et du roc de la planète. Si les plans de la Première Génération portaient fruit, la génération suivante vivrait dans de vraies villes.

En attendant, la colonie se démerderait, comme d'habitude.

◆

Trente-deux après le débarquement, le corps de Valyr avait subi un remodelage complet au plaste. Des muscles d'appoint améliorés, de nouvelles mains, des remplacements pour ses os les plus fragiles, une mise à jour de ses régulateurs métaboliques et de ses amplificateurs immunitaires. L'opération lui valut une plongée dans la brume bienfaisante de l'étire-temps et des euphorisants.

(… Dieu, Dieu, mon Dieu, pendant dix minutes subjectives elle avait eu l'impression d'être de retour sur le vaisseau, se noyant dans un océan de félicité ; elle aurait préféré la mort au réveil…) Après la descente, elle avait ressenti un entrain juvénile qu'elle n'avait pas goûté depuis longtemps.

Elle avait envie de vacances ! La destination qu'elle choisit, faute de mieux, se trouvait à l'autre bout du continent. Une ville fantôme et factice qui était la plus éloignée de leurs fondations. Elle aurait pu y aller seule, mais ce ne serait pas seulement imprudent, ce serait aussi assommant d'ennui. Elle ne voulait pas être seule.

Inutile de compter sur un autre membre de la Première Génération pour une destination aussi inconcevablement éloignée des étoiles de mer. Et puis, elle voulait quelqu'un de moins… usé. Elle partit donc à la recherche d'Hilbert, en espérant le convaincre de venir.

Ils n'avaient pas couché ensemble depuis des années ; en fin de compte, il n'était pas fameux au lit et il avait cultivé des relations si nombreuses qu'il n'avait plus le temps de la voir. Ils mangeaient ensemble à l'occasion et elle aurait dit qu'ils étaient des amis. Il n'était pas plus volubile qu'avant.

« Rien de trop compliqué, lui promit-elle. Une simple vérification de site. Pas d'expériences, rien qu'une inspection de base et quelques mesures. Pour se changer les idées, tu sais. Une journée à la campagne.

— Vous voulez dire que vous désirez que je vous accompagne, Valyr Première ? »

Cela dit très raidement. Il était de mauvais poil ce jour-là. Elle faillit gronder mais préféra supplier.

« Oui, je t'en prie, Hilbert. J'aimerais que tu te fasses une idée de la vie que tu auras quand la planète t'appartiendra. Un avant-goût.

— Bref, il vous faut quelqu'un pour vous aider avec le télémètre. »

De sa part, c'était presque de l'humour. Valyr sourit en comprenant qu'il avait accepté de venir.

« Et quelqu'un qui sait me faire rire. »

Le vol leur avait ôté toute envie de rire. Les tapis microbiens s'étalaient sur des kilomètres d'un océan à l'autre. Ils étaient plus épais le long des rivières, mais ils avaient aussi colonisé les franges des déserts et les contreforts des cordillères. Même au cœur des déserts et à l'ombre des sommets, des expériences avaient démontré que des bactéries se cachaient dans le sol en état de dormance, n'attendant qu'un apport nutritif pour se remettre à proliférer et à provoquer les mêmes dégâts exponentiels que leurs congénères dans des environnements plus favorables. Seuls les sommets les plus froids, en haute altitude, n'avaient pas été colonisés par des lichens ou des algues des neiges. Cela dit, les échantillons d'air prouvaient que les vents de Nouveau-Monde transportaient les microbes du continent jusqu'à la stratosphère.

Quand ils atterrirent aux portes de la Cité NO 3, la bonne humeur de Valyr était sérieusement entamée. Pourtant, il y avait de plus en plus de raisons d'être optimiste.

Les biosystèmes à base de plaste étaient devenus de plus en plus élaborés, et de plus en plus performants. Quant aux colons, ils pouvaient survivre à peu près indéfiniment à l'air libre. Les prothèses étaient répandues ; au début, elles avaient remplacé des parties du corps hors d'usage, comme les mains que Valyr avait reçues de Keller, cinq ans plus tôt. Puis, elles avaient été améliorées. Puisque c'était possible, ils n'allaient pas se priver. Toujours plus, plus, plus.

Keller avait produit de nouvelles mains, « manos version deux point zéro » comme il les appelait, avec des articulations supplémentaires et de nouveaux degrés de liberté. Elles faisaient fureur chez la Première Génération, surtout qu'elles pouvaient s'échanger entre individus histocompatibles. Des organes permutables à chaud. Un nouveau vice.

Désormais, les collaborateurs de Keller raffinaient leurs plans pour les naissances à venir. Ils ne se contentaient plus de béquilles en plaste pour la chair défaillante ; ils envisageaient une réingénierie radicale qui adapterait le corps humain à la planète. Des implants introduits dès la naissance régleraient au mieux la croissance et le développement du système immunitaire. Il était incroyablement facile de s'arranger pour que les implants grandissent au même rythme que la personne, tout en permettant des mises à jour et des modifs ultérieures. Un jour prochain, les colons seraient en mesure de quitter pour de bon les complexes marins.

Lorsque ce jour serait venu, des villes les attendraient, éparpillées sur tout le continent.

◆

« C'est *vraiment* comme sur une vidéo de la Terre », marmonna Hilbert quand il quitta l'appareil en compagnie de Valyr.

Les sommets des blocs résidentiels dépassaient la crête des talus antibruit qui protégeraient les quartiers voisins du vacarme des atterrissages et décollages.

C'était comme la tranche d'une ville, quelques douzaines d'édifices de toutes les tailles pris d'une ville complète et transplantés dans cet endroit. La brume de chaleur estompait leurs formes et il était possible de croire que d'autres se dissimulaient derrière, et ainsi de suite jusqu'à l'horizon. Valyr céda volontiers à l'illusion qu'elle marchait à la rencontre d'une ville habitée, même si le seul frémissement de vie était le fait des meutes de microbots qui s'écartaient devant eux. De concert avec des épandages d'acides puissants, les microbots préservaient les aires bétonnées de toute infestation, mais, en hauteur, c'était différent. Des croûtes multicolores obstruaient les gouttières et encombraient les corniches.

Tandis qu'ils poussaient plus loin dans la ville embryonnaire, Hilbert évitait les proliférations de bactéries indigènes sans même paraître les voir. Son regard s'attachait aux bâtiments bordant la rue. L'intensité de son silence trahissait sa fascination.

Quand Valyr n'y tint plus, elle toussota et fit remarquer, un peu sottement :

« Je croyais que tu avais vu les vidéos de leur construction…

— Oui, mais c'étaient des vidéos. Comme celles de la Terre. »

Si la voix d'Hilbert trahissait son émerveillement, son allusion dédaigneuse aux vidéos de la Terre frappa Valyr de stupeur. Elle comprit enfin ce qui aurait dû lui crever les yeux. Hilbert n'avait jamais cru que les images de la Terre étaient réelles. Elle se souvenait de sa première réaction quand il était gosse : « Joli ! Joli ! » Pour Hilbert, les images de la Terre ne se distinguaient pas des environnements virtuels des jeux. La planète-mère n'était pas plus concrète pour lui que les mondes créés par ordinateur et leurs environnements étrangers étaient tous pareillement exotiques. Toute la Deuxième Génération pensait-elle comme lui ?

« La Terre n'est pas une fiction, Hilbert, protesta-t-elle.

— C'est ce qu'ils nous disent. (Il la regarda, en faisant la moue.) C'est plutôt clair que nous ne sommes pas d'ici. »

L'alignement d'édifices de trois étages encadrait son visage. Des plaques de prolifération microbienne maculaient les façades, les zébrant de couleurs claires et vénéneuses. Eût-elle encore été une artiste-peintre qu'elle n'aurait pas raté l'occasion d'immortaliser la scène. Un jeune homme costaud, des édifices de part et d'autre, mais un terrain vide tout juste derrière. La rue s'arrêtait abruptement comme une simulation mal programmée. Un filet de soleil tombant par une brèche entre deux édifices éclairait son visage et lui donnait une expression hantée.

Sa voix faisait de ses observations détachées des accusations.

« J'ai dit que NO 3 était pareille aux *vidéos* de la Terre, dit-il. Elle fait juste *semblant* d'être réelle.

— Parce que personne n'y vit ? Mais, un jour, nous viendrons vivre ici.

— Franchement, Valyr ! Regarde autour de toi. Tu voudrais vivre ici ? »

Elle regarda. Hilbert ne voyait sûrement pas la même chose qu'elle. Une cité embryonnaire qui serait, un jour prochain, habitable et habitée... Certes, il y avait des infestations microbiennes un peu partout... Entre les éclats de vitre d'une fenêtre, ourlés d'un fin duvet grisâtre, se voyaient des meubles mangés par des traînées d'une poussière bleue et blanche.

« D'accord, admit-elle. Il est encore trop tôt pour s'y installer. Mais nos machines peuvent exister ici. C'est un début, un bon signe. Nous sommes en bonne voie.

— Seulement si tu veux faire de nous des machines, riposta Hilbert, manifestant une émotion inaccoutumée. C'est ça que veut la Première Génération ? Faire de nous des machines ?

— Bien sûr que non ! Ce sont des gens qui habiteront ici. Comme à Villeneuve. Les Troisièmes grandiront à Villeneuve, mais les Quatrièmes vivront ici. »

Il s'avança vers elle en se redressant, si tendu qu'il en devenait presque menaçant tellement il était renfermé d'habitude.

« Je te trouve bien arrogante de parler de la Quatrième Génération alors que la Troisième vient à peine de naître. Tu es pire que Keller.

— Quoi ? Où veux-tu en venir, Hilbert ? »

Il avança encore, et elle recula d'un pas, soudain effrayée par l'homme devant elle, plus grand, doté non seulement des mêmes muscles d'appoint qu'elle mais aussi d'une masse musculaire naturelle nettement supérieure à la sienne.

« Les Troisièmes seront *nos* enfants, pas les vôtres. Nous avons été vos jouets, nous avons été vos choses. Vous nous avez bricolés comme des robots, mais vous ne serez pas *leurs* parents. Nous les défendrons et nous leur donnerons une meilleure enfance que celle que nous avons eue de vous. »

Sa voix se fêla et il se détourna. Valyr en resta pantoise ; elle n'avait jamais imaginé que les Deuxièmes interpréteraient les muscles d'appoint, les implants, le remodelage complet de leurs corps comme des signes qu'ils étaient la propriété de leurs parents. Était-ce pour cela qu'ils avaient été si dociles, si soumis ? Si leur retenue n'était qu'un barrage, elle ne voulait pas découvrir quelle violence elle contenait... Elle essaya d'apaiser Hilbert, mais sans savoir quoi dire exactement.

« Ils seront notre avenir à nous aussi, hasarda-t-elle. Tu peux me croire, nous ne voulons que leur bien. Keller m'a tout expliqué :

les naissances auront lieu dans les complexes et les bébés resteront à l'intérieur pendant les trois premiers mois. Il n'est pas question de leur faire courir des risques ; nous n'allons pas les larguer à Villeneuve sans aucune protection, ce serait impensable.

— Bien sûr que non ! s'écria Hilbert. Vous les farcirez de plaste d'abord. Keller nous a montré, à Amanda et à moi, le calendrier du développement des Troisièmes. Tout est déjà prévu : les Troisièmes sont sa propriété, comme nous avons été la vôtre ! »

Et Valyr saisit soudain que la femme d'Hilbert (car les Deuxièmes étaient revenus aux mariages à l'ancienne) devait être enceinte. Il ne l'avait pas dit à sa mère. Il n'avait pas voulu, ou il n'avait pas eu le temps. Mais il mettait fin à ses années de mutisme de manière spectaculaire… *Surcompensation*, diagnostiqua une partie de Valyr.

« Le Docteur Bonnechair nous promet des oreilles améliorées, des nez, des gorges, des yeux. Il peut nous montrer les diagrammes, il a toutes les nouvelles versions qu'il nous faut pour les pieds de nos enfants, les viscères, les lèvres, les dents, et j'oubliais, même des villosités en plaste pour le petit intestin, pour digérer la microflore indigène, et Dieu sait quoi encore ! Amanda et moi, nous sommes polis à chier, comme tous les Deuxièmes, nous sourions et opinons du bonnet. Quand Keller promet que les Quatrièmes pourront manger des tapis microbiens au déjeuner, nous ne faisons que sourire et dire merci, c'est merveilleux, nous sommes si contents. Mais c'est un foutu mensonge, Valyr ! »

Hilbert se tut, haletant, les yeux luisants de larmes. Elle était à la fois effrayée et embarrassée.

« S'il te plaît… Je ne savais pas que les Deuxièmes le prenaient aussi mal. Je suppose que cela peut vous sembler excessif, tout ce que nous avons prévu, mais… Nous ne désirons qu'une chose, que les enfants se sentent chez eux ici, chez nous.

— Chez nous ? répéta-t-il, avec un haussement d'épaules moqueur. Tu confonds, Valyr Première. Nous sommes sur Nou. Ce ne sera jamais chez nous. Regarde ! »

Il désigna du geste un banc de béton placé sur le trottoir, entre deux ronds découpés dans le revêtement dévoilant le sol nu. On imaginait facilement les palmiers plantés de part et d'autre qui jetteraient un jour une ombre bienfaisante sur le banc. Les concepteurs terriens de la Cité NO 3 avaient pensé à tout… Mais il n'y avait pas de palmiers en terre, rien que des agrégats de nodulosités blanches, dont le surgissement du sol était vaguement obscène, que les microbots grignotaient sans insister. Quant au banc, il était tapissé d'un épais manteau de micro-organismes semblable à une écume figée aux coloris verts et orangés.

« Je me souviens des vidéos de la Terre, affirma Hilbert de sa voix parfaitement égale. Si nous étions sur Terre, je pourrais m'allonger au soleil sur ce banc, n'est-ce pas ? Je pourrais même faire la sieste, sans craindre autre chose qu'un coup de soleil, hein ? Comme ceci ? »

Désinvolte, enchaînant ses gestes sans une seule pause, il ôta sa chemise en tissu de plaste, la roula en boule et la remit à Valyr. Elle l'accepta machinalement, ouvrant la bouche pour soupirer et lui dire d'arrêter de faire l'idiot, il avait raison – puis elle se rendit compte qu'il ne jouait pas la comédie. Un sourire fou aux lèvres, son compagnon s'était assis sur le banc avant de s'allonger de tout son long sur le tapis microbien.

Presque aussitôt, la douleur contorsionna les traits de son visage. Il aurait hurlé, mais ses muscles tétanisés par la souffrance étaient incapables de bouger. Il ne s'échappa de ses lèvres figées qu'un soupir rauque.

Valyr laissa tomber la chemise roulée en boule et réagit avec une rapidité surhumaine, glissant sa main sous l'épaule d'Hilbert avant d'appliquer toute la force de ses muscles combinés, artificiels et naturels. Le corps sauta du banc comme une crêpe faisant la pirouette ; Hilbert tomba lourdement sur le pavé. La peau de son dos nu avait pris l'apparence d'une toile expressionniste où l'orange et le vert des colonies microbiennes se mêlaient au rouge des plaies ouvertes et aux teintes violacées des meurtrissures.

Valyr le laissa là. Le cri strident qui fracassa le silence sortit de sa propre gorge, les toxines indigènes traversant le derme de sa main gauche et s'infiltrant dans sa chair, mettant le feu aux terminaisons nerveuses. *Ça brûle, ça brûle, ça brûle !* Quand elle avait inséré sa main sous l'épaule d'Hilbert, elle avait raclé les couches superficielles du tapis microbien, les plus actives. Une dose massive de toxines s'attaquait maintenant à sa chair.

Si elle avait attendu une seconde de trop, elle-même aurait succombé au choc anaphylactique. Ni lui ni elle n'auraient survécu. Toutefois, avant même d'entendre le son produit par l'impact du corps sur le pavé, la main intacte de Valyr s'était refermée sur un outil de sa ceinture. Tous les colons qui se risquaient à l'extérieur des étoiles de mer recevaient une ceinture porte-outils standardisée. Un laser pour les stérilisations d'urgence était inclus, qu'elle retira de son étui et braqua sur sa main gauche.

Son premier hurlement avait vidé tout l'air de ses poumons. Valyr régla l'instrument à son maximum, au risque d'un claquage, et grilla le derme de sa main en promenant le faisceau de lumière cohérente à bout portant. La peau se racornit en noircissant ; la douleur n'augmenta pas vraiment.

Valyr n'éteignit le laser qu'après avoir rôti la moitié de sa main gauche. Il fallait espérer que les toxines n'avaient pas eu le temps d'infiltrer le reste de son réseau sanguin. La douleur de ses nerfs incendiés par l'assaut toxique initial refluait, remplacée par la souffrance lancinante de la chair grillée.

Elle n'échappa pas au choc pour autant, bien entendu. Sa respiration s'affola, son cœur se débattit dans la cage de sa poitrine et des ruisselets de sueur coururent sur sa peau. Mais c'était supportable. Les « marges de tolérance » de son nouveau corps fortifié par le plaste étaient excellentes, comme Keller lui-même le répétait *ad nauseam*.

Elle ramassa Hilbert par une cheville et le coucha sur son épaule. L'exploit sollicita toute la force de ses muscles d'appoint, mais elle parvint à trottiner vers la piste d'atterrissage, en ployant sous le poids de l'homme.

L'hyperventilation la faisait divaguer, sous l'effet de l'afflux d'endorphines dans son cerveau : « C'est bon, Hilbert chéri, tu avais raison, fiston de merde… »

Même avec tous les perfectionnements successifs, l'arsenal défensif du plaste ne pouvait faire plus que les protéger des souches aériennes. Les filtres dermiques et les phagocytes en plaste du réseau sanguin étaient capables de neutraliser les microbes indigènes et leurs toxines tant que les concentrations restaient basses. Ils ne réussiraient pas à sauver Hilbert de sa dose massive. Il allait mourir si son état ne pouvait pas être stabilisé.

« Mais avais-tu besoin d'en faire tout un plat ? Je me souviens des histoires que tu as faites quand il a fallu t'apprendre à chier dans le pot… Mais ceci… c'est tellement pire, jeune homme. Et je suppose que tu t'attends à te réveiller demain dans un lit d'hôpital. Écoute, maman ne sera pas toujours là pour soigner tes bobos, d'accord ? Elle ne sera pas… ne sera pas… »

Elle atteignit l'appareil en zigzaguant, au centre de la piste écrasée de soleil. Malgré toutes les vantardises de Keller à propos de son corps refait, elle se sentait faible et vieille. Bafouillante. De la sueur ruisselait sur son visage et elle en goûta l'âcreté sur sa langue quand elle ouvrit la bouche pour ordonner :

« Urgence de classe 1. J'ai besoin d'un module de survie, je répète : un module de survie. Maintenant ! »

Du ventre métallique de l'appareil sortit un module semblable à un sarcophage, déployé par l'ordinateur. Sans savoir comment, elle parvint, avec sa seule main utilisable, à confier le corps d'Hilbert à l'étreinte des bras mécaniques. Le couvercle se referma sur son visage rougi et le module remonta à l'intérieur de l'appareil.

Le reste ne relevait plus d'elle.

Valyr chancela, déséquilibrée par l'absence de poids sur son épaule. Elle se servit de sa main valide pour palper son visage. Sa peau était moite, et froide au toucher. L'état de choc causé par sa blessure. Il était temps de s'occuper de son propre cas. Un instant, elle songea à s'installer dans un module de survie, mais il n'y aurait plus personne pour dire à l'appareil de revenir...

À l'intérieur du sas en surpression, elle se déshabilla, enfournant ses vêtements dans l'autoclave. Pendant quelques minutes, elle se soumit à un bain d'ultraviolets, une précaution jouant uniquement contre les micro-organismes les plus récents, qui avaient évolué depuis que l'apparition d'une atmosphère à base d'oxygène avait engendré suffisamment d'ozone pour réduire l'irradiation ultraviolette naturelle. Un vent chaud l'enveloppa, jaillissant de partout pour déloger les spores. De l'air stérile suivit, tandis que ses vêtements tourbillonnaient dans une petite centrifugeuse.

La brise soudaine détacha de sa main des flocons carbonisés de chair et de peau, qui tourbillonnèrent à ses pieds. Comme dans un rêve, elle leva la main et la referma sous ses yeux, exposant le plaste noirci à sa vue. Les tendons en plaste n'avaient pas besoin d'être aussi épais que leurs modèles organiques ; leurs mouvements étaient également plus discrets, confinés dans des conduits encastrés. S'il n'était pas resté un peu de chair, la main aurait pu appartenir au squelette d'un film d'horreur, simple assemblage d'os capables de bouger en l'absence de tissu conjonctif.

Elle tituba jusqu'à l'habitacle. Prenant les commandes, elle fit s'élever l'appareil, puis se mit à frissonner ; les moteurs réagirent au tremblement de ses membres et le tangage aggrava son vertige.

Sa main gauche s'était refermée sur un des palonniers ; Valyr n'avait pas fait le lien avec la douleur qui la convulsait. Réveille-toi ! Mon Dieu, elle perdait le fil, elle était encore en état de choc…

Elle retrouva assez de présence d'esprit pour activer le pilotage automatique.

« Ramène-nous chez nous, dit-elle, débranche le mode manuel et pars tout de suite ! » Elle sentit les palonniers mollir. L'appareil vira, parfaitement stable, et il s'éleva en accélérant sur le chemin du retour.

« Chez nous… »

Sa voix s'enroua.

Un instant, elle crut se retrouver à bord d'un avion magique qui les ramènerait sur Terre, où elle débarquerait sur le gazon de la maison de ses parents… Une toute petite partie de son esprit savait qu'elle délirait, se rappelait les résultats des analyses des premières morts par infection, consciente que les hallucinations précédaient d'habitude un déclin irréversible des fonctions vitales… *Debout !* dit cette parcelle à son corps et, miraculeusement, sa chair empoisonnée consentit à obéir. *Va au fond. Trouve les modules de survie. Il y en aura deux de libres. Prends-en un. Grouille grouille grouille !*

Elle tomba à genoux entre les modules, le regard brouillé. Il y avait un homme dans le module à droite, mais l'autre était vide. Un gros bouton vert à côté du couvercle. Enfoncer pour ouvrir. Le couvercle s'éleva.

Elle essaya d'entrer, mais elle était à bout de forces. La moitié de son corps s'abattit dans le module, le reste demeurant à l'extérieur. Cela suffit pour qu'un bras articulé lui injectât de l'adrénaline dans l'épaule droite. Une voix lui ordonna de s'allonger à l'intérieur. Un vestige lucide de son esprit ? Ou un logiciel capable de reconnaître la confusion d'une personne gravement blessée et de l'inciter à prendre place dans le module ? Un regain d'énergie lui permit de glisser une jambe à l'intérieur ; les bras mécaniques l'aidèrent à finir d'entrer et à se retourner. Sa respiration se fit plus sonore. Le couvercle s'était refermé.

Des piqûres au creux de ses cuisses. Des sangles se resserrant sur son abdomen. Elle clignait des yeux dans la lumière tamisée par le couvercle translucide, mais elle ne voyait guère que sa main grillée, légèrement surélevée par des manipulateurs.

Cette main, cette merveilleuse main, supérieure à toutes les mains vivantes, la perfection faite plaste… Les injections du module commençaient à faire effet. La douleur reflua. Avant de succomber à l'effet des sédatifs, Valyr sentit sa perception s'éclairer d'une lucidité froide.

Sa main était un mensonge mécanique, un tour de prestidigitation. De même que leur conviction aberrante que les générations à venir seraient encore humaines, en dépit de tous les changements prévus. Si les colons de la Quatrième ou de la Cinquième Génération étaient capables d'ingurgiter les cultures microbiennes de Nouveau-Monde et de digérer les toxines pour se nourrir, ils n'auraient pas besoin de palmiers pour jeter un peu d'ombre sur les bancs de leurs villes. Auraient-ils besoin de villes, d'ailleurs, quand ils seraient en mesure de vivre en pleine nature ?

Elle comprit que la Première Génération avait gobé le mensonge parce que le voyage avait été long et la lutte pour la survie frénétique. Trop pour admettre les points de vue divergents. Trop pour imaginer que les allégeances générationnelles domineraient les rapports sociaux sur Nouveau-Monde. Trop pour songer que certains assimileraient leurs plans pour l'avenir de la colonie à la perte de leur humanité.

La révélation se dissipa, sa clarté se confondant avec l'illumination factice des rêves. Dans lesquels la douleur n'existait pas.

◆

Ils avaient tous les deux survécu à l'incident. Ainsi avait-elle choisi de nommer l'événement en son for intérieur, comme pour se convaincre qu'il ne s'agissait que d'un accroc mineur au cours des choses. Mais elle avait eu beau tenter d'en minimiser la signification, tenter de se convaincre que la tâche l'ennuyait, qu'elle avait besoin de connaître une autre mue pour connaître un autre aspect de soi, elle savait au fond que sa résignation du corps des arpenteurs était le résultat direct de ce qui s'était passé à NO 3. Ou, plus précisément, de son incapacité à comprendre ce qui s'était passé.

Hilbert était sorti de l'hôpital presque en même temps qu'elle ; ses blessures étaient plus graves, mais son organisme était mieux conçu pour résister aux attaques indigènes de Nou. Elle s'était rendue le voir juste après sa sortie du bloc opératoire, avait constaté que les volutes écarlates qui marquaient sa chair avaient pâli davantage, les médecins ayant saisi l'opportunité, entre une volée de microgreffes et une purge enzymatique, de tester une nouvelle technique de chirurgie esthétique...

« Tu as l'air mieux, gamin », avait-elle dit, un sourire nerveux aux lèvres.

Il l'avait toisée, comme si sa mine de déterrée l'excitait.

« Tu es toujours aussi belle, maman », avait-il répliqué, en s'en tenant à son laconisme habituel. Pour une fois, elle n'en avait conçu aucune irritation.

Une semaine plus tard, Hilbert avait rejoint les rangs des arpenteurs, laissant à Valyr l'impression qu'elle était sortie du coma pour retrouver un monde sens dessus dessous. Elle avait essayé de l'interroger sur sa décision, d'extraire une bribe de sens de toute cette aventure, mais elle n'avait jamais trouvé les bons mots. Elle avait conclu qu'Hilbert avait perdu l'esprit, que toute la Deuxième Génération avait perdu l'esprit, et qu'il ne fallait pas s'attendre à des actes sensés de leur part. Elle-même avait quitté les arpenteurs quelques jours plus tard, éliminant ces tâches de sa rotation surchargée, tirant un trait final. Elle avait tenté de faire de même pour Hilbert, y était parvenue au-delà de ses espérances.

Et pourtant elle fut présente à la naissance de la fille d'Hilbert une demi-année plus tard – la Troisième Génération arrivait à terme en sept mois, le développement fœtal ayant été non seulement amélioré mais accéléré. Elle avait eu la surprise de s'entendre demander à Hilbert la permission d'être présente, et la plus grande surprise encore de recevoir une réponse positive.

« Bien sûr. Une grand-mère devrait être présente à la naissance de son premier petit-enfant.

— Grand-mère, dit-elle lentement. Je ne croyais pas que tu connaissais le mot.

— Vous nous avez appris à parler de générations. C'est clair que les anciens mots vous font sentir comme, euh... »

Des vieux.

De fait, la mère d'Amanda n'assista pas à la naissance.

L'accouchement fut facile et routinier, comme ils l'étaient tous désormais. Amanda, comme toutes les femmes de la Deuxième Génération, pouvait élargir l'accès à son utérus à volonté par l'intermédiaire de ses implants de plaste. Quand vint le temps pour le fétus de sortir, elle fit jouer ses muscles d'appoint avec un grognement; Valyr observa le vagin en train de s'épanouir comme une bouche grand ouverte. Le bébé émergea doucement, le médecin l'accueillant dans ses mains réunies. Le cordon ombilical se détacha juste après la première respiration. Avant de remettre l'enfant à la mère, l'équipe médicale l'examina rapidement, prenant des lectures à partir des implants de plaste prénataux, vérifiant que tout était en ordre.

Amanda referma l'ouverture béante entre ses cuisses dès l'expulsion du placenta. Tenant l'enfant dans ses bras, elle respirait profondément, détendue. Hilbert caressait gentiment la tête duveteuse de sa fille; après un moment, Amanda fit signe à Valyr, prit la main de plaste de Valyr dans les siennes, et guida ses doigts pour effleurer la tête du bébé. La chair était tiède au toucher. Six opercules d'interface, en deux rangées parallèles, saillaient sous la peau de l'occiput.

Comme des yeux derrière la tête de sa petite-fille.

◆

Et puis ensuite, le temps de la révolte était venu. Et puis ensuite: tant de temps, compressé en trois mots. De son point de vue actuel, tout son passé se télescopait: les années et les décennies étaient à peine plus longues qu'un après-midi. Dans ses souvenirs, c'était comme si elle s'était réveillée le lendemain matin résolue à abattre le pouvoir de la Première Génération; en réalité, il avait fallu près de trente ans.

Au début, elle avait simplement chassé de son esprit tout ce qui s'était passé à NO 3. Elle avait jeté aux poubelles Valyr l'arpenteuse, était redevenue Valyr la programmeuse, la planificatrice, l'assistante de Keller. Elle vit la Troisième Génération grandir droite et forte. Elle était consciente du ressentiment qu'éprouvaient les parents, mais elle le négligeait comme s'il s'était agi d'une bouderie enfantine. Nul ne pouvait nier que la Troisième Génération se portait à merveille, que ses membres étaient bien mieux adaptés aux conditions de Nou que leurs géniteurs. Villeneuve avait grandi avec eux, la barre de sable s'emplissant graduellement d'édifices. Une ville laide et terne, mais qui perdurait.

De temps à autre, Valyr croisait Hilbert dans une coursive du complexe et ils échangeaient quelques mots. Toutes banales que fussent leurs conversations, elles laissaient Valyr mal à l'aise. Parfois, elle se rendait à Villeneuve pour voir les enfants d'Hilbert : après leur fille, Amanda avait donné naissance à un garçon. Tous deux faisaient preuve d'énergie, à défaut d'entrain, mais quelque chose en eux sonnait faux. C'était un problème commun à tous les Troisièmes. Les implants de plaste avaient garanti leur force et leur santé, mais aussi une troublante absence d'imperfections. Quelque chose en eux témoignait de la même impersonnalité qui afflige tous les simulacres d'humains, des figures de cire aux poupées animatroniques. Les bosses éparses sous la peau, trahissant la présence d'un sous-système de plaste, ne faisaient qu'empirer l'impression.

Pendant des années, la situation resta inchangée, tandis que la Troisième Génération arrivait à maturité et que les villes du continent succombaient. Elles avaient été abandonnées, les unes après les autres. Non seulement n'y avait-il aucun progrès dans leur résistance à la vie indigène, mais cette dernière semblait améliorer ses capacités d'infiltration et de métabolisation. À l'échelle de la vie unicellulaire, vu la brièveté de ses générations, l'évolution se produit très vite. Ainsi en avait-il été des bactéries sur Terre, ainsi en était-il des micro-organismes indigènes de Nou. La colonie restait victorieuse tant qu'il s'agissait de s'opposer aux attaques portées à leurs corps de chair, mais leurs cités ne pouvaient durer. Villeneuve continuait à se défendre avec succès par la force brute ; mais on avait dû renoncer à construire des habitations sur le continent, temporairement du moins – la Première Génération n'admettait jamais la défaite.

Inévitablement, la solution à court terme devait donc être une adaptation humaine plus poussée. Les générations futures devraient tolérer la vie indigène encore mieux. Ce n'étaient pas les idées ou les possibilités de ce genre qui manquaient. Les usines à plaste ne demandaient qu'à produire des matériaux toujours plus raffinés et les innovations conceptuelles déferlaient comme les vagues sur la grève…

Alors, de quand datait la révolte de Valyr ? La réponse la plus évidente était : de ce moment où elle avait appelé à l'écran les plus récentes illustrations de Keller représentant des humains adaptés à Nou et qu'elle avait été incapable d'y voir des êtres humains. On aurait dit des extraterrestres de dessins animés. Keller avait toujours été bien trop xénophile. Valyr, crispant ses mains de plaste (manos version trois virgule cinq) en avait frémi de répulsion.

Pourtant, cette réponse serait fausse. Elle avait quand même réagi à ses sentiments : le même soir, elle avait ouvert une nouvelle arborescence de fichiers au sein de l'espace computationnel qui lui était attribué, pris des notes sans suite, jeté des nombres dépourvus de contexte, écrit du code sans commentaires ni documentation. Une nouvelle identité se formait, encore dépourvue de nom, même au plus profond d'elle-même. Elle ne savait pas encore ce que cette Valyr-là désirait ; elle savait seulement qu'elle était malheureuse et ne pouvait rien y changer.

Le lendemain matin, Valyr était allée visiter Villeneuve. Le regard des Deuxièmes qui l'examinaient étincelait d'un mélange de terreur sacrée et de haine, comme celui d'enfants gourmandés. Et puis non, elle sombrait dans la paranoïa ; les Deuxièmes se voyaient eux-mêmes en elle. *Telle que je suis maintenant, vous serez un jour.* Ce n'était que trop vrai : ils approchaient de la quarantaine, leurs enfants arrivaient à l'âge de la reproduction. La Quatrième Génération allait débuter ; les Deuxièmes ne seraient plus des parents, mais des grands-parents. Ils allaient enfin comprendre les tourments des Premiers.

À son tour, se voyant en eux, elle sentit ses convictions initiales se renforcer. Elle comprenait mieux qu'aucun d'entre eux les douloureuses nécessités du séjour sur Nou. Elle était bel et bien une Première, et elle avait une mission à remplir. Débordante d'une résolution nouvelle, elle était retournée aux laboratoires des complexes, s'était jetée à corps perdu dans son travail. Testé un scénario sur son ordinateur, fait une suggestion à Keller au sujet d'une amélioration mineure aux pupilles cruciformes qu'il envisageait. Il lui avait souri, et l'instant d'après ils avaient baisé, presque brutalement, sur une pile de formulaires recyclés. Oh Dieu, la tête lui tournait, c'était comme le vaisseau, les vingt années de paradis. Après, elle avait sangloté, obnubilée par un sentiment de perte, mais elle n'était plus sûre de ce qu'elle avait perdu au juste.

◆

De quand datait la révolte de Valyr ? Il existait une réponse raisonnable. De l'instant où elle avait reçu le message qu'elle s'était envoyé. Cela s'était passé soixante ans après leur départ de la Terre, quarante ans après le débarquement, dix-huit ans après l'accident presque fatal d'Hilbert, quelques années après l'abandon de la dernière ville expérimentale, quelques mois à peine après la naissance des premiers Quatrièmes. Le radiotélescope fonctionnait encore, malgré l'érosion par la poussière cométaire.

Miraculeusement, trois techs vivaient encore en orbite, isolés du reste de la colonie. Ils avaient complètement perdu l'esprit. L'équipement de communication des complexes fonctionnait encore et les conversations entre la planète et l'orbite haute se poursuivaient. Mais depuis dix ou quinze ans, tout ce qui leur parvenait des techs se ramenait à des divagations séniles. Quand ils daignaient émettre des images, ils paraissaient des momies, leur chair tannée et desséchée. Des halos de cheveux blancs flottaient autour de leurs crânes ridés. L'écologie de la station orbitale vacillait au bord de l'effondrement, et pourtant les techs tenaient bon. Ricanant, hurlant, sanglotant à l'adresse des prisonniers de la planète qu'ils avaient convoyés. Divinités tutélaires pourrissantes, livrant des oracles insanes depuis leur antre orbital.

Tout ce temps, les techs n'avaient cessé d'enregistrer les rapports des sondes. Quand Delta était morte, ils avaient diffusé une cérémonie funéraire longue de vingt heures. Bêta, elle, tenait bon ; les techs avaient enregistré sans relâche les données qu'elle transmettait… Mais c'était tout autre chose qu'ils attendaient : les messages en provenance de la Terre. Il faudrait soixante ans pour que les signaux émis de la Terre atteignent Nou, ce qui voulait dire quarante ans d'attente une fois que le *Naos* aurait atteint le système.

Un jour, l'attente avait pris fin. Des transmissions de lumière cohérente arrivaient de la Terre. Le radiotélescope était tellement esquinté qu'il faisait la sourde oreille par moments, mais les techs avaient réussi à capter l'essentiel. Les transmetteurs terriens avaient eu l'obligeance de diffuser les messages plus d'une fois, sur plusieurs fréquences. Bénie soit la redondance – un autre thème de leurs sermons.

Les techs avaient reçu et décrypté les messages avant de les diffuser à destination de la surface, pour le bénéfice des rampants. Il n'y avait pas grand-chose d'intéressant. Beaucoup de déclarations officielles, meilleurs vœux de la Terre, et autres âneries composées par des bureaucrates à la plume aussi fade que leur imagination. Mais il y avait eu une transmission qui n'avait rien de fade.

On avait donné aux colons l'occasion de s'envoyer des messages personnels avant de quitter la Terre. Une idée brillante, qui avait dû valoir de l'avancement à quelque bureaucrate. Une capsule temporelle pour les plus narcissiques de l'expédition. Si elle avait pu faciliter les adieux à la Terre, elle aiguisait surtout la souffrance de l'exil. Comment avaient-ils pu ne pas penser à ce qu'ils éprouveraient, quarante ans après leur arrivée, en recevant un message d'une version bien plus jeune d'eux-mêmes ?

Valyr se rappelait s'être assise sur la chaise de plaste rembourrée, en fixant l'écran, incapable de croire à ce qu'elle voyait. Une femme si jeune qu'elle aurait pu être une Troisième, offrant un sourire idiot à la caméra, ânonnant des bêtises à l'adresse d'un futur qu'elle ne pouvait imaginer. Le cœur lui levait encore quand elle tentait de se souvenir du reste, les mots exacts qu'elle avait prononcés et entendus. Sa mémoire se rebellait après le guilleret « Salut ! » qui ouvrait le message.

Elle était revenue à ses quartiers, tellement secouée qu'elle ne pouvait articuler un mot. Elle s'était regardée dans le miroir, avait vu un visage à peine flétri (un analogue de collagène, en plaste, gardait sa chair ferme et élastique), des cheveux de la même teinte que ceux de la Valyr à l'écran (grâce aux colorants à base de plaste), des yeux encore vifs et brillants (lentilles de plaste taillé, sutures de plaste pour réparer une déchirure de la rétine droite). Elle avait regardé ses mains, aux doigts longs et forts, à quatre jointures plutôt que trois. Elle avait vu une copie de l'original, une simulation médiocre de celle qu'elle avait été, de celle qu'elle avait voulu devenir.

Elle était restée songeuse pendant des semaines, comme presque tout le monde. Même Keller avait paru troublé quasiment une soirée entière. Elle avait observé les Deuxièmes affectés aux labos, constaté à quel point même eux avaient été émus par ce rappel que le monde n'avait pas débuté sur les côtes empoisonnées de Nou. Et que la colonie avait trahi les idéaux du passé, privant les Deuxièmes et Troisièmes d'une continuité sans leur donner un avenir en échange. Valyr avait pressenti alors leur réaction, avait entrevu ce qui allait se passer, avait repensé à la cinglante révélation de NO 3. Mais elle s'entêtait à refuser d'y croire.

Après tout, les messages de la Terre, qui s'étaient faits rares après la bordée initiale, leur fournissaient aussi une échéance.

Les arches plus lentes que la lumière seraient terminées dans les temps. Trente-cinq ans après le départ du *Naos*, cinq arches l'imiteraient. Ce qui voulait dire en fait qu'elles étaient parties vingt-cinq années plus tôt. Lambinant à une fraction de la vitesse de la lumière, elles arriveraient dans sept décennies à peine.

Les nefs subluminiques n'étaient pas forcées de limiter leur taille ou leur masse comme les vaisseaux supraluminiques. Les arches seraient gargantuesques. Des dizaines de milliers de personnes en débarqueraient. Elles s'attendraient à trouver l'ébauche d'une civilisation, et non une simple poignée de bases. Les colons avaient soixante-dix ans pour relancer toute l'entreprise embourbée… Tout un défi. Toute une perspective. Tout un avenir. Une fois de plus, la Première Génération avait redoublé d'efforts.

Après tout, qu'auraient-ils pu faire d'autre ? Il n'existait pas pour eux d'autre refuge.

◆

Alors, quand la rébellion de Valyr avait-elle débuté ? Sans doute quand elle avait pris conscience d'avoir vécu tant de vies qu'il ne lui en restait plus à essayer. Cela s'était produit peu après la désintégration de l'antenne du radiotélescope ; le métal, stressé jusqu'au point de rupture, était parti en lambeaux sur une période de quelques années jusqu'à ce qu'il ne restât plus que le poste de réception et l'habitat orbital.

Les techs avaient entonné un dernier sermon halluciné, les trois damnés réunis une ultime fois dans la salle de contrôle. Tous les liens avec la Terre étaient rompus. Cinq années de messages, voilà tout ce qu'ils avaient accumulé après soixante années de patience. La plupart n'en valaient honnêtement pas la peine, mais c'était l'existence d'un lien qui avait eu un sens. Sans lui, l'utilité des techs était arrivée à son terme.

Ils s'étaient suicidés en direct, se tranchant la gorge avec des morceaux de l'antenne qu'ils avaient repêchés ; le métal était vérolé par le bombardement de poussières, terni, mais assez tranchant pour ouvrir la jugulaire d'un geste. L'onde porteuse de la station orbitale s'était éteinte cinq minutes plus tard.

Les trois techs défunts avaient été pleurés, contrairement à tous les autres, même cette première sainte martyre dont Valyr avait oublié le nom. Leurs morts avaient suscité le plus d'émotion parmi les Deuxièmes et les Troisièmes, qui n'avaient pourtant connu des techs que des visages sur un écran. Des monuments de pierre sculptée leur avaient été élevés aux confins de Villeneuve. Personne ne s'était offusqué de l'absence de corps. La colonie de Nou n'enterrait pas ses morts, elle les recyclait dans les assembleurs de nourriture.

Aux débuts de la colonie, il n'aurait jamais été question d'une période de deuil ; au plus aurait-on accepté une heure de recueillement collectif. Les choses avaient changé. Les Deuxièmes et les Troisièmes refusaient de travailler au rythme que les Premiers conservaient encore, malgré leur âge. Ils décrétèrent des funérailles de trois jours ; si les Premiers insistaient pour travailler durant ce temps, qu'ils travaillent seuls.

Valyr adopta un compromis ; elle prit deux jours de congé et en passa un à Villeneuve, dans l'appartement d'Amanda et d'Hilbert, qui l'avaient invitée. Leur fille Deirdre était venue en visite également, amenant son fils nouveau-né, Avalon. Les Troisièmes ne se mariaient pas, les hommes et les femmes vivant chacun de leur côté, mais leurs unions reproductives restaient farouchement monogames : les trois seuls meurtres de la colonie avaient eu l'adultère pour cause.

Hilbert avait gravi les degrés de l'échelle politique ; il était devenu l'assistant du maire de Villeneuve, ce qui l'obligeait à gérer les conflits incessants des Deuxièmes et des Troisièmes. Les Premiers réglaient leurs conflits en privé, d'ordinaire au lit ; leurs enfants et petits-enfants avaient recours à des déclarations imprimées d'inimitié et à des querelles publiques spectaculaires, qui devaient être réglées en définitive par le Salomon de service. Pourtant, malgré la pression, Hilbert aimait de toute évidence son travail. Accumulant les signes physiques de l'âge, comme le choisissait une minorité des Deuxièmes, il paraissait maintenant bien plus vieux que Valyr – était-ce pour affirmer son autorité en tant qu'arbitre des disputes, était-ce un reproche voilé à l'intention de sa mère ? Les deux peut-être…

Hilbert finit par l'attirer à l'écart et s'assit avec elle sur le futon de la petite chambre d'amis. Il paraissait soucieux.

« Que penses-tu d'Avalon ? demanda-t-il.

— C'est un très beau petit garçon, répondit-elle, sachant que tout ce qu'elle dirait risquait de servir contre elle.

— Oui, vraiment beau, acquiesça Hilbert. Ses yeux sont bizarres, mais ils sont… frappants, non ? Ils ont des profondeurs… »

Les yeux du bébé étaient des globes sombres, ses cornées ajustées à la lumière violente de l'extérieur. Il voyait très bien dans des conditions de lumière moins vive – rétines version deux virgule trois – et donc il n'y avait besoin d'aucun changement d'opacité cornéenne. C'était bien moins compliqué que les protecteurs de plaste que portait Valyr autour de ses globes oculaires, ou que les lentilles cristallines auto-opacifiantes d'Hilbert et d'Amanda.

Deirdre avait retardé le moment d'avoir son premier enfant. Les plus vieux des Quatrièmes avaient presque dix ans. Dix autres années et ils donneraient naissance à la Cinquième Génération.

D'ici là, même les enfants n'auraient plus l'air humain. Les plans de Keller s'épuraient ; il avait atteint ce point de l'exercice de conception où des intuitions brillantes accouchent d'une élégance fonctionnelle choquante par sa simplicité. La reconstruction sous-jacente était nécessairement complexe, mais le résultat final serait lisse et sans failles. Il n'était plus question des extraterrestres caricaturaux qu'il avait naguère anticipés. Les Cinquièmes seraient profondément étrangers. Ils ne seraient pas encore capables de se répandre à la surface de Nou, oh non, mais ils n'en seraient pas moins très loin de la norme humaine.

Hilbert lui prit la main.

« Vous n'abandonnerez jamais, n'est-ce pas ? »

Valyr crut d'abord qu'il la vouvoyait avant de comprendre qu'il parlait de la Première Génération tout entière.

« Je… je ne sais pas. Un jour…

— Les arches arriveront dans soixante ans. Vous n'avez pas l'intention de perdre une minute d'ici là…

— Je suis ici. Je ne travaille pas. Je suis venue te voir.

— Et quand tu repartiras, ce sera pour retourner travailler avec Keller.

— En fait, je ne suis plus dans cette branche depuis quelques années déjà. Je passe plus de temps à de la recherche sur les applications industrielles du plaste, avec des stages en psycho et en éducation. Je croyais que tu étais au courant.

— Mes administrés sont mécontents ; ça suffit amplement à m'occuper. Je n'ai pas le temps de tout savoir de toi.

— Et qu'est-ce que tu fais pour les rendre heureux ? Je croyais que tu prononçais simplement des jugements, ça peut se faire assez vite, non ?

— Exercer la justice, c'est plus long pour nous que pour vous ; mais c'est surtout prêcher la révolte qui me prend tout mon temps. »

Elle le regarda ; il tenait encore sa main, la serrant dans la sienne. Hilbert se montrait toujours pince-sans-rire quand il plaisantait, même quand cela n'ajoutait rien à la drôlerie. C'était la façon dont il tenait sa main qui convainquit Valyr qu'il disait la vérité. Elle répondit à voix basse.

« Si tu tiens à te révolter contre la Première Génération, pourquoi m'en parles-tu ?

— À qui donc veux-tu que j'en parle ? demanda-t-il en haussant les épaules. Tu es la seule qui peut nous comprendre.

— Je… je n'en suis pas si sûre. Que planifiez-vous ?

— Nous n'avons rien prévu pour l'instant. Ce que nous voulons – enfin, ce que je veux, moi –, c'est détruire les installations manufacturières de la Première Génération. Je ne veux tuer personne. Je veux simplement vous enlever ce qui vous donne votre pouvoir sur nous.

— Quoi, en faisant sauter les étoiles de mer ?

— Je suppose que cela ferait l'affaire.

— Hilbert, tu es fou de me dire ça. Tu crois que je ne vais pas te dénoncer aux autres ?

— Ah oui ? Eh bien fais-le, alors. »

Il lâcha la main de Valyr.

« Je ne te comprends pas, répéta-t-elle. Pourquoi me fais-tu confiance ?

— Qu'est-ce que tu crois ? Tu es ma mère. Je préférerais peut-être me confier à mon père, mais personne ne sait qui c'est.

— C'est vrai, je voulais t'en parler, mais j'ai oublié, dit-elle, la gorge serrée. Il y a dix ans environ, quand je travaillais à l'infirmerie, j'ai soumis ton ADN aux banques de données et…

— Je ne veux pas le savoir ! » cria-t-il, l'interrompant. Tous deux restèrent silencieux un moment. Deirdre frappa à la porte. « Ça va ? » demanda-t-elle, mais ils ne répondirent pas et elle finit par s'en aller.

Durant le silence, Valyr regardait Hilbert. Son fils aîné avait engraissé ; il avait toujours été un peu joufflu, mais maintenant il était carrément corpulent, ayant atteint la limite du gain de poids alloué par les implants de plaste qui régulaient son métabolisme. Il avait des joues rondes et une tignasse de cheveux blancs ébouriffés ; cela lui rappelait une image familière, un de ces compositeurs allemands célèbres, était-ce Bach ou Beethoven ?… Ses yeux se brouillaient de larmes ; elle voyait une douzaine d'hommes lovés l'un dans l'autre dans le corps d'Hilbert, tous ceux qu'il avait été, le programmeur, le père, le maçon, l'arpenteur, le jeune homme qui avait failli se tuer en sa présence, le garçon, le bambin, le bébé émergeant de son corps…

« Je sais que tu es capable de comprendre, dit-il. Il le faut. J'étais sûr que tu comprendrais, la fois où j'ai tenté de me tuer à NO 3. »

Sa voix tremblait. Cela faisait des décennies qu'il n'avait pas mentionné l'incident. Valyr resta interdite.

« Tu n'as pas essayé de te tuer. Tu voulais me prouver quelque chose, de manière assez stupide, je dois dire…

— Non ! J'ai essayé de me tuer. Ah, maman, crois-moi ! Ce jour-là, tu m'as convaincu que la Terre était réelle. Je n'y avais jamais vraiment cru. Toute ma vie, j'avais pensé que la Terre était un simple mensonge inventé par la Première Génération pour nous tenir en laisse. Mais ça m'a frappé de plein fouet, ce jour-là, qu'il y avait vraiment une Terre. Et que nous en étions coupés, et qu'en nous éloignant de la norme humaine, nous devenions moins réels. C'était tellement clair pour moi que ça ne me dérangeait pas de mourir. Ou peut-être que j'avais l'impression de ne pas pouvoir vraiment mourir, puisque je n'étais pas vraiment réel, je ne sais plus. Et j'ai essayé de mourir. Je pensais que tu comprendrais. »

Il criait presque, de colère ou de chagrin. Il avait repris sa main, mais avec moins de force ; Valyr se dégagea de sa poigne et se leva.

« Je vais le dire aux autres, l'avertit-elle. Je le dirai à Keller et au reste de la Première Génération. Vos plans ne vous mèneront nulle part.

— Eh bien, va-t'en. Trahis-nous. »

Il se détourna. Elle quitta la pièce exiguë, se rendit à la porte de l'appartement et sortit sans même un regard pour les autres.

Nous sommes des lâches, lui et moi, songeait-elle, *nous fuyons les choses qui nous font peur. À NO 3, il avait si peur de l'avenir qu'il a essayé de se réfugier dans la mort. Maintenant, il me confie ses plans dans l'espoir que je le trahisse et que je le libère du fardeau de sa rébellion. Et moi ? Je quitte son appartement parce que je n'ose pas supposer qu'il puisse avoir raison. Je vais aller retrouver le Docteur Bonnechair et le baiser comme une sauvage, et au moment de l'orgasme je révélerai tous les secrets que mon fils m'a confiés…*

Elle retourna à l'étoile de mer Vihare, s'enferma dans sa chambre et verrouilla la porte. Elle commanda de la musique à son ordi, tentant d'apaiser le tourment de ses pensées avec les bourdonnements de cithares et de synthés, luttant pour annuler toutes ses personnalités, jusqu'à ce qu'il ne reste plus personne dans son crâne, simplement une conscience pure, étale comme la mer entre deux marées... Elle finit par s'endormir, et quand elle se réveilla elle s'occupa des bases de l'existence, le boire et le manger, même pas le sexe, uniquement les nécessités fondamentales. Et tout ce temps, elle essayait de ne pas penser – mais quand elle le faisait, elle se demandait pourquoi elle n'était pas encore allée voir Noirménil pour trahir la Deuxième Génération.

Une trahison ? Ce n'était pas un simple cas d'insubordination : ils souhaitaient la fin de tout. On ne pouvait pas leur permettre de saboter la mission. Valyr devait les arrêter... On se serait cru dans un thriller historique à bon marché. En fin de compte, elle ne put se résoudre à rien faire.

Pendant plusieurs jours, elle demeura dans cet état d'inertie. Personne ne vint l'importuner. Tous les Premiers frappaient de ces creux de temps à autre ; ceux-ci duraient de quelques jours à quelques semaines. Les Premiers en avaient honte, mais ils comprenaient que ces passages à vide étaient inévitables. Gwenglen, la croisant dans un corridor, lui adressa un sourire de sympathie et lui jasa de banalités, un moyen de sous-entendre que personne ne s'offusquerait de l'état de Valyr ni même n'y ferait allusion avant que ce ne soit complètement fini. L'ironie de la chose donnait à Valyr une terrible envie de rire.

Et puis un jour, au réveil, elle avait retrouvé la forme. Retour à la normale : ses membres vibrant d'une énergie contenue, elle s'était lavée, avait déjeuné puis activé son espace au sein du réseau. Déjà elle faisait défiler la liste des projets disponibles, affichant un tableau priorisé de ses responsabilités en attente...

Elle s'était arrêtée net. Non pas parce qu'elle était soudain retombée dans le creux ; au contraire, elle débordait d'énergie, mais d'une énergie qui réclamait autre chose que ses débouchés habituels. Valyr venait de saisir qu'elle avait joué tous les rôles, qu'elle avait atteint le point d'écœurement. Elle ne voulait plus être une scientifique, une informaticienne, une pute, une enseignante auprès des marmots de la Quatrième Génération, une artiste, une... Elle ne voulait plus être personne. Sauf, peut-être, la jeune femme qu'elle avait été jadis, avant les étoiles de mer, avant le vaisseau, avant le long voyage.

Quelque chose en elle avait basculé ; elle s'était dépouillée durant l'espace d'une nuit de toutes ses identités. Elles étaient encore là, tout autour d'elle, prêtes à l'étreindre de nouveau. La tentation était brûlante. Active cet élément-ci de la liste, porte-toi volontaire pour ce projet-là, sois utile encore une fois… Grouille, grouille, grouille…

Elle donna du poing contre le revêtement de plaste des murs d'acier, laboura la peinture de ses ongles de plaste. Ouvrit la porte, arpenta les couloirs de la base Vihare jusqu'à un sas donnant sur l'extérieur, prit l'une des vedettes pour traverser le bras de mer jusqu'aux hideux clapiers de béton de Villeneuve.

Le lotissement s'étendait maintenant sur toute la pointe de sable. On avait érigé des barrières près de la jonction avec le reste du continent ; à leur extrémité s'élevait une usine à nourriture toute de plaste luisant. Avant qu'elles puissent s'implanter, les moindres infestations étaient réduites en cendres par des patrouilles de laserobots. Mais la défense principale du sol était une microflore compatible avec la biologie terrienne et capable de tenir tête aux formes de vies locales. Des buissons fortifiés au plaste ajoutaient une touche de vie presque obscène dans le paysage dévasté.

Glorieuse Villeneuve ! Et sa plus grande gloire était tenue secrète : elle pouvait désormais se passer des complexes en pleine mer. Valyr accosta, mit pied à terre tandis qu'Asheroll, un laborantin de la Deuxième Génération, prenait sa place dans l'embarcation pour se rendre à son poste. Il lui adressa une courbette respectueuse, une coutume courante parmi les Troisième et Quatrième Générations, mais inhabituelle parmi la Seconde.

Quel lèche-cul, se dit-elle. Mais peut-être n'était-ce pas de l'arrivisme, simplement un respect sincère ? À la mairie, le bâtiment à trois étages qui dominait le centre de Villeneuve, le personnel composé de Seconds ne serait pas aussi obséquieux, loin de là ; mais ce n'était pas pour la politesse qu'elle était venue.

Elle marcha vers la mairie. Elle croisa des gens en chemin, un gardien d'enfants de la Troisième Génération et quatre enfants qui passaient d'un building à l'autre. Les enfants lui adressèrent des révérences malhabiles ; leur gardien les pressait avec un sourire gêné. Juste avant de rentrer, il marqua néanmoins une pause et s'inclina comme il se devait. Valyr hocha la tête et s'éloigna.

La façade de la mairie avait été polie par endroits, en un motif de feuilles et de fleurs. Au sens strict, c'était de la pure abstraction. Aucune fleur ne poussait sur Nouveau-Monde, même pas dans les serres réservées aux plus robustes des graminées et lichens terrestres.

Quand Valyr aperçut son visage reflété par un pan de mur luisant, elle perdit un instant tout sentiment d'identité. Elle se voyait de l'extérieur ; pas seulement ses traits, toute sa personnalité, toute sa vie. Intimement familière avec ce visage et cette vie, elle était devenue incapable de les reconnaître.

Ils étaient éclairés par la même lumière nouvelle qui baignait pour elle Villeneuve et les étoiles de mer. Elle saisissait une vérité nouvelle, incomplète : qu'elle était environnée de créatures qui ne méritaient plus d'être appelées humaines.

Et alors seulement elle entra dans la mairie pour préparer sa trahison avec l'assistant du maire.

Hilbert se leva et l'accueillit avec une réserve glacée, serrant sa main de plaste au lieu de s'incliner ; il referma les portes du bureau, revint s'asseoir. On aurait dit une danse, un rituel qui aurait été plus à sa place sur Terre qu'à Villeneuve. Comme si leurs gestes seuls devaient supporter le fardeau de leur véritable conversation. Quand elle commença à parler, ce fut avec le sentiment que tous ces mots étaient inutiles, le radotage d'une vieille femme sénile qui s'assurait trois fois plutôt qu'une qu'elle avait bien compris.

« Je n'ai rien dit à personne, annonça-t-elle, comme si Hilbert ne le savait pas déjà. Mais j'ai quelque chose pour toi.

— Quoi ? »

Elle tourna ses mains de plaste la paume vers le haut, largement ouvertes.

« Je ne l'ai pas sur moi. Pas encore. Je voulais te dire que je peux l'obtenir. De l'information qui te serait utile.

— À quel sujet ?

— Des choses que j'avais accumulées dans mon espace-système depuis quelques années... Plus d'une décennie, en fait. Au cas où. Tu connais le genre... Des analyses des points faibles de l'architecture des étoiles de mer et des piliers de soutènement principaux. Quelles écoutilles risqueraient de s'éventrer pour exposer l'intérieur à l'océan. On ne sait jamais quand un désastre peut frapper. Alors j'ai établi une liste des endroits les plus vulnérables de toutes les structures. Et puis... j'ai des copies partielles des bases de données chimiques. Des formules de substances explosives et corrosives… Tout ce que nous utilisons contre la vie autochtone qui pourrait causer de terribles dommages si jamais quelqu'un en faisait mauvais usage. Je me disais que tu devrais en avoir une copie. Après tout, un homme de ton importance, avec toutes tes responsabilités… On ne sait jamais ce qui pourrait arriver. »

Et maintenant il refusait son offre, le mouvement suivant de leur danse oscillant entre la peur et le désir.

« Je ne t'en demandais pas tant. Nous n'avons pas vraiment besoin de ces informations. Nous sommes plusieurs à espérer que nous pourrons négocier avec la Première Génération. Il y a quelques Troisièmes qui ont formé un comité pour nous représenter. D'ici quelques mois, nous présenterons nos conditions à la Première Génération. Keller sera obligé d'admettre qu'elles sont raisonnables. Et il est encore temps de changer les projets pour la Cinquième Génération.

— Non, il n'est plus temps. Keller ne vous écoutera pas. Rien ne l'y oblige, il n'a aucune raison de le faire et il ne croira jamais qu'il y aurait de bonnes raisons de le faire. Nous ne vous laisserons jamais partir, Hilbert. Tu ne comprends pas. Vous êtes notre propriété, et vous le resterez tant que vous ne briserez pas vos chaînes. »

Hilbert frissonna et se frotta les bras. Les Seconds pouvaient encore avoir froid, tandis que les Troisièmes et les Quatrièmes pouvaient supporter, nus, des températures loin en dessous du point de congélation pendant des heures.

« J'ai peur, dit-il. C'est une folie. C'est comme NO 3 ; je vais le faire pour les mauvaises raisons. »

Valyr garda le silence, ne sachant que dire. Hilbert poursuivit, s'adressant aux murs plutôt qu'à elle.

« Je me suis tellement efforcé d'oublier ce qui s'est passé ce jour-là. Je me suis abruti de travail, à faire fonctionner Villeneuve, à servir ses habitants. J'ai essayé de pardonner aux Premiers, parce que je sais bien que ce n'est pas complètement de votre faute. Et parce que si nous nous révoltons, j'ai peur que ce soit simplement une forme de suicide, comme ce que je voulais à NO 3. Et je n'ai plus envie de mourir. Après NO 3, j'ai choisi de vivre. Il faut continuer, même si vous nous avez déformés.

— Alors brisez les chaînes, dit-elle. Brisez la Première Génération. Ça n'a pas besoin d'être un bain de sang. Personne ne mourra, pas si c'est bien mené… »

Elle croyait à ce qu'elle disait, répétait avec inconscience de très vieux et très pieux mensonges. Elle avait endossé l'habit de la révolutionnaire, assimilé l'aveuglement des idéalistes.

Un instant, il cacha de sa main l'expression de ses traits. Son fils, son amant, l'homme dont elle avait sauvé la vie.

« Nous avons le droit d'être libres. Il ne faut plus attendre. Quand peux-tu nous procurer l'information ?

— Demain, dit-elle. Demain matin. »

En fait, tout était déjà prêt. Elle aurait pu retourner à Vihare, décanter l'information de son espace-système dans un holocube mémoriel et le rapporter avant la fin de l'heure. Mais elle voulait se donner encore un peu de temps. Les révolutions méritaient d'être enfantées sans se presser.

Mais la chose était en marche ; ils sentaient tous les deux qu'il serait impossible de faire machine arrière. Hilbert se leva à demi du fauteuil confortable réservé à l'assistant du maire, secoua la tête et ses mèches blanches en bataille. Il dit :

« Mère, tu n'es pas obligée de faire ça.

— C'est ce que j'ai décidé d'être, répondit-elle. Tu avais raison, depuis le début. Et quand il s'agissait de prendre une décision, j'ai toujours choisi ce qu'il ne fallait pas. »

Elle avait tremblé, comme elle avait tremblé sur le point d'embarquer à bord du *Naos*, une éternité auparavant. La colonie qu'elle avait aidé à fonder entamait un voyage dont il serait encore moins possible de revenir.

◆

Cinquante-cinq personnes avaient péri dans la révolte qui avait abattu le pouvoir de la Première Génération. Douze étaient mortes à la suite d'un cafouillage imbécile, emblème de l'humanité imparfaite qu'ils défendaient. Une erreur, cette vieille ennemie de l'homme qui se moquait des probabilités. Une erreur qui avait anéanti douze vies par l'explosion prématurée de charges mal apprêtées. Tout ce que le plaste avait amélioré chez la Troisième Génération n'avait pas suffi à faire d'eux des terroristes infaillibles.

L'explosion prématurée avait quand même servi à quelque chose. Elle avait alerté la Première Génération à bord des étoiles de mer, mais personne ne s'attendait à une attaque. Dans la confusion, les autres saboteurs avaient pu fixer leurs charges sans se faire remarquer. Une équipe médicale essayait encore de sauver les douze premières victimes quand les autres explosions avaient débuté ; une série de détonations qui ponctuaient la mort des étoiles de mer.

Il y avait de quoi évacuer ; les saboteurs avaient pris soin d'épargner ce qu'il fallait. Ils avaient même amené des embarcations supplémentaires, pour faciliter la fuite de leurs victimes. La violence du raid était mesurée, polie, civilisée ; les quelques têtes brûlées qui souhaitaient un terrorisme franc avaient été matées et exclues de l'opération. Il fallait sans doute imputer les autres décès de cette nuit-là à des règlements de compte privés.

Valyr avait attendu les saboteurs sur Vihare, après s'être assurée qu'aucun des systèmes de sécurité automatiques ne leur chercherait noise. Vihare avait été la dernière étoile à mourir. Quand les premières explosions avaient déçu les ultimes espérances des Premiers, les autres complexes marins sombraient déjà. Les résidents de Vihare avaient entrepris l'évacuation, ne doutant pas qu'ils allaient être attaqués d'un moment à l'autre, et que toute tentative de résistance était vouée à l'échec. Sans perdre de temps, Valyr rejoignit la zone d'évacuation – pour découvrir qu'à leur tour, les saboteurs l'avaient attendue. Hilbert et trois autres Seconds aux regards durs se tenaient dans un radeau gonflable au bout de la rampe inférieure du complexe. Ils lui firent signe de monter à bord : il restait tout juste de la place pour un autre passager.

Valyr hésita un moment. Les sirènes d'urgence hurlaient, la population du complexe le quittait d'une manière raisonnablement ordonnée. Tout se passait bien, donc, personne ne restait prisonnier, personne ne serait abandonné – à moins de le choisir délibérément, et elle refusait d'y penser. Il était temps de partir. Elle s'avança jusqu'au bord de la rampe lavée par les vagues pourpres, sauta à bord. L'embarcation s'éloigna immédiatement du complexe.

Elle se rendit compte qu'elle riait, hoquetait, attendant la suite, consumée par la hâte d'en finir. Une colonne de fumée s'élevait de l'horizon, là où Cromlech avait péri. Ses raffineries, qui avaient transformé la bouillie de composés organiques de l'usine de protéines en une soupe d'hydrocarbures, brûleraient longtemps. Plus loin à l'est, Ziggourat était une ruine fumante, qui brasillait comme le soleil couchant. Mais pour Valyr, seul Vihare comptait. Quand assez de temps eut passé pour que tout le monde ait pu évacuer le complexe, les coups mortels furent portés, aux endroits précis indiqués par Valyr.

Ah, ses pleurs de joie quand elle avait vu les labos brûler, les explosions fracasser les poutrelles et les membrures inférieures, le grand dôme s'abîmer enfin dans l'océan ! Pleurs de joie et d'amertume mêlées, nourris par une colère attristée… Le seul aboutissement de toutes ces années fiévreuses, enflammées, quand ils refusaient d'arrêter. Grouille grouille grouille. Il fallait que ça se termine ainsi, dans les flammes et la destruction. Elle sentait qu'elle l'avait toujours su, qu'elle en avait rêvé chaque nuit, qu'elle s'en souvenait avant même d'avoir vu la chose de ses propres yeux.

Keller était au nombre des morts. Il se trouvait encore dans son labo quand le complexe avait coulé, Valyr en était sûre. Elle l'imaginait injuriant les saboteurs, étreignant les machines irremplaçables en essayant de les arracher des murs, recherchant son propre anéantissement, même s'il ne l'aurait jamais reconnu. Il avait vécu si longtemps que son esprit raboté par le passage des années s'était rebellé contre sa propre immortalité.

Elle n'en savait encore rien au moment de leur fuite de Vihare, mais eût-elle appris alors le destin de Keller qu'elle n'aurait pas été surprise. Elle aussi souffrait du même mal : elle ne désirait rien tant que de revenir au complexe danser parmi les flammes, mesurer combien de temps son plaste résisterait à la chaleur avant de fondre, tester la capacité de ses poumons améliorés à respirer les nuées de fumée toxique. Avec un bruit sourd, le réservoir principal de plaste se rompit, et le plaste brut se déversa dans l'océan ; on aurait dit des mottes de pâte se détachant d'une cuillère de bois pour tomber dans un bol d'eau. Valyr avait gardé en elle cette image de son enfance, un millénaire avant les années de fièvres, en un temps où elle ignorait même ce qu'était un vaisseau spatial.

« Nous avons gagné. » Hilbert l'avait chuchoté au creux de son oreille, mais elle n'avait pas répondu et elle ne l'avait pas regardé. Elle fixait les laboratoires en feu, qui brûlaient pour que soit mis fin à jamais aux jours de fièvre.

Et ensuite… Ensuite, il n'était resté que des êtres humains sur une langue de sable, maîtres d'un nouveau monde. Bienvenue sur Nou, bienvenue chez nous, plaisantèrent-ils pendant quelques jours, avant d'en épuiser tout le sel et d'en goûter l'amertume.

◆

Et après ? Chronologiquement, ce qui avait suivi remplissait plus du tiers de son existence, mais il n'y avait pas grand-chose à raconter. En fait, rien du tout. Elle n'avait quasiment rien accompli ensuite ; selon les standards de la Première Génération, elle était restée oisive tout ce temps. Comme tous les autres. L'élan de la colonie était brisé, la démence de la Première Génération morte à jamais.

La plupart des Premiers avaient survécu, mais ils avaient perdu les moyens de leur domination. Les dirigeants de la Deuxième et de la Troisième Génération l'avaient fait comprendre à leurs parents, par la force au besoin. Deux autres colons de la Première Génération étaient morts à l'aube, exécutés quand ils avaient essayé de donner des ordres.

Émergeant enfin du rêve révolutionnaire, Valyr s'était rappelé bien tardivement les leçons de l'histoire de la Terre, avait redouté des purges, la corruption, la montée d'une aristocratie, les iniquités sans nombre… Il n'y avait rien eu de tout cela. La colonie était trop petite pour se le permettre. Les colons devaient travailler ensemble ou mourir. Une poignée seulement opta pour la seconde solution après la révolution. Les Premiers trimèrent en compagnie des Seconds et des Troisièmes ; à défaut de jamais leur faire tout à fait confiance, on ne les ostracisa pas non plus. Certains des Premiers arrivèrent même à s'y habituer. Ils se trouvèrent des tâches pénibles et s'y jetèrent à corps perdu. Laissant les années les submerger et les emporter, un par un.

Un jour, Hullan, l'avant-dernière de la Première Génération, était morte, et Valyr s'était retrouvée seule de sa génération sur Nou. *Ça y est*, s'était-elle dit, *je suis le passé*. Elle n'avait jamais cru qu'elle en arriverait là. Ils l'avaient tous abandonnée. Les techs d'abord, puis Keller, le reste de la Première Génération… Hilbert aussi était mort, sans cause apparente. *Mais ce n'est pas possible*, avait-elle voulu s'exclamer quand on lui avait appris la nouvelle, *c'est absurde. C'est mon fils, mon enfant, comment peut-il être mort quand je suis tellement plus vieille que lui, et encore vivante ?*

Elle était loin d'être sûre qu'il était mort de vieillesse. Elle avait soupçonné autre chose, soupçonné qu'en fin de compte, sa volonté de vivre avait fait défaut, que le marché qu'il avait conclu avec lui-même à NO 3 était arrivé à son terme et qu'il avait mis fin à ses jours. Il n'avait pas été possible de confirmer l'hypothèse, faute d'autopsie. Ils n'en avaient plus les moyens désormais. Le corps d'Hilbert avait été recyclé après une brève cérémonie, et il n'était plus rien resté de lui. Amanda vivait encore, et Deirdre, et Avalon qui avait atteint la quarantaine et avait deux filles… Valyr avait cessé après cela de se préoccuper de sa descendance ; peu lui importait désormais.

Les techs, la Première Génération, Keller, Hilbert… Ils avaient fait partie de son passé, mais ils étaient aussi autant de remparts qui la défendaient de l'emprise du temps. Ils s'étaient effondrés les uns après les autres. Comme si elle les avait tués elle-même. Ah, ces bulles de sang flottant en apesanteur, surgissant par grappes de la gorge fendue des techs… Le passé montait, montait, comme une inondation, et il la submergeait enfin. Elle ne pouvait plus le nier. C'était le prix et le privilège de la vieillesse. Pour les autres, on était le lien avec leur jeunesse et on demeurait leur ultime rempart contre le temps jusqu'à ce que la disparition de tous leurs aînés les laisse seuls à leur tour, sans rien entre eux et la mort.

Maintenant qu'elle connaissait mieux le prix et le privilège d'être l'aînée, elle comprenait mieux aussi l'accès de démence du trio en orbite et elle avait été tentée un moment par la même solution. Mais elle n'avait pas été capable de s'y contraindre. À cause d'Hilbert, songea-t-elle : il avait choisi cette voie pour lui-même et, ce faisant, l'avait fermée pour elle. Elle ne pouvait pas suivre son fils sur le chemin de la lâcheté. Fort bien, elle tiendrait. Elle attendrait que le long labeur du temps la prenne.

Elle avait tenu le coup. Contre toute attente, elle avait résisté. Elle avait duré vingt années de plus, l'équivalent de son séjour au paradis.

Chronologiquement, elle avait plus de cent soixante-dix ans. Les prothèses de plaste tombaient en pièces, mais elle avait vécu jusqu'au jour de leurs retrouvailles avec le reste de l'humanité. Quelques-uns des Seconds étaient encore de ce monde, une infime poignée. Les autres avaient été emportés par les maladies de la sénescence ou les réactions auto-immunitaire contre le plaste, réprimées pendant des décennies mais victorieuses en fin de compte. Toutefois, la plupart s'étaient donné la mort ; au contraire du suicide d'Hilbert, les leurs avaient été sans équivoque.

C'était encore pire pour la Troisième Génération, dont il ne restait personne. En fin de compte, les Troisièmes s'étaient sentis trop profondément transformés pour avoir le droit de vivre. La pyramide des âges était dentelée par toutes ces morts délibérées, et de plus en plus grignotée par la base. La fertilité des nouvelles générations était en chute libre. Leurs implants ne suffisaient plus à la tâche. En détruisant le savoir impie de la Première Génération, ils avaient perdu tellement plus qu'escompté, et il n'était plus question de revenir en arrière. Il n'y avait rien à sauver des ruines des complexes. Avec les décennies, la population s'amenuisait, tout comme l'espérance de vie.

Il y avait encore quelques naissances. Roth avait vingt ans, presque l'âge mûr. Il s'était marié, avait tenté de produire un ou deux héritiers. En vain. C'était le résultat de la diffusion de toxines de Nou dans l'organisme, qui affectaient la mobilité des spermatozoïdes. Avec de l'équipement de laboratoire idoine, la fertilisation *in vitro* aurait réglé le problème. Ou même, si Valyr avait eu accès à un programmateur de plaste, elle aurait sans doute pu fabriquer un injecteur à sperme adéquat…

À quoi bon en rêver ? Les arches étaient arrivées. La question ne se posait plus. Les arches, et leurs dizaines de milliers de voyageurs. Des tonnes et des tonnes d'équipement. Elles étaient arrivées et Nouveau-Monde était encore vierge, exception faite d'une poignée de colons souffreteux échoués sur une plage hostile. Ah, ils ne seraient pas contents, là-haut. Mais Valyr et les descendants de la Première Génération avaient survécu et ils avaient conservé leur humanité. Ils avaient gagné. N'est-ce pas ?

« Je crois que c'est leur navette », dit soudain Roth, abritant ses yeux pour faire face au vent.

L'appareil lui-même n'était qu'un point, mais la traînée de vapeur barrait la moitié du ciel bleu. Les récepteurs radio de la colonie, réagissant à de faibles émissions électromagnétiques, s'étaient éveillés quelques jours auparavant. Les arches de la deuxième vague de colonisation étaient arrivées dans le système planétaire. L'atmosphère bloquait la plus grande partie du signal ; la colonie ne pouvait rien saisir clairement. Il leur était impossible de répondre.

Ils attendirent, donc. Une attente frénétique, car les gens de Villeneuve couraient un peu partout, se précipitant et s'affolant sans accomplir quoi que ce fût puisqu'il n'y avait vraiment rien à faire.

Comme un chien avide de se faire flatter, la colonie attendait que les arches choisissent leurs orbites et se mettent à leur parler.

Valyr avait été incapable de supporter ces préparatifs. Elle avait préféré se promener longuement sur la plage, résolue à ne pas se trouver sur place quand les messages arriveraient ; elle se rappelait trop bien s'être vue sur l'écran absurdement jeune…

Maintenant, ils descendaient, ils allaient débarquer. Un moment, elle eut envie de rester sur cette plage, loin de tout. Elle serait à l'abri, non, en sécurité ? Personne ne viendrait la chercher.

« Valyr Première…

— Oui, j'arrive. »

Roth ne la laisserait pas s'enraciner. Roth le fidèle. Comment aurait-il réagi si elle avait essayé de baiser avec lui, ici sur la plage ? Elle en était encore capable, et capable de le désirer : les régulateurs d'hormones la gardaient éternellement en condition. Une autre obscénité épargnée aux plus jeunes Générations. Leurs femmes abordaient désormais la ménopause à un âge raisonnable, vingt-cinq ou trente ans, et se desséchaient rapidement par la suite. Que ferait-il si elle le séduisait ? Lui rappellerait-il qu'il avait une épouse ? Accepterait-il la chance de faire l'amour avec une déesse ? une ancêtre ? Valyr passa sa main devant son visage, se retenant de se gifler. Elle se comprenait trop bien, savait que son esprit s'accrochait à tout sauf à la navette qui arrivait. Elle était faible. Fatiguée. *Souviens-toi du vaisseau, Valyr.* Les vingt années de paradis. *Grouille grouille grouille.*

Valyr rebroussa chemin, allongeant ses foulées. Ses craintes ne la paralysaient plus, mais la propulsaient vers l'avant. Les vestiges et débris des avions, des labos, des cuves, des gens… Ils jonchaient le sable comme ses souvenirs jonchaient son passé. La jeune femme s'adressant à une future elle-même, l'objet sexuel devenu jouet, la chercheuse devenue scientifique devenue l'aïeule pétrie de sagesse… Elle avait besoin de la plage pour retrouver tous ses souvenirs en un seul endroit.

Elle repéra la même main, émergeant du ressac maintenant que la marée se retirait. Elle la ramassa de nouveau, caressant le plaste des étranges doigts déformés par le temps, détachant le sable mouillé de la fiche du poignet. La main avait peut-être appartenu à Bruske ou Alennoy, tiens. Ceux-là ne cessaient d'échanger leurs mains pour s'exciter en se caressant avec les mains de l'autre. C'était peu avant la fin, quand tous les problèmes d'incompatibilités tissulaires avaient été résolus.

Une autre fin se profilait à l'horizon…

« Est-ce qu'il va falloir se battre ? demanda Roth, derrière elle, sa voix se fêlant lorsqu'il prononça le dernier mot.

— Nous avons une histoire à raconter, dit-elle en souriant tristement. Ils seront déçus, c'est certain, que nous n'ayons pas occupé le continent, mais ils verront bien que l'humanité a survécu ici, grâce à nous. Si ce n'avait été de nous, c'est un bataillon d'androïdes en plaste qui les recevrait. »

Elle était sur le point de relancer la main quand elle se ravisa et l'enfouit dans sa poche, comme une enfant choisissant de rapporter chez elle le cadavre d'un rat, trop émerveillée par sa découverte pour se rendre compte de l'horreur de son geste.

◆

La navette aux ailes camuses complétait son troisième tour au-dessus de la colonie quand Valyr revint à Villeneuve. Si le design de base était familier, l'engin paraissait subtilement bizarre. On pressa Valyr jusqu'au centre de la place principale, là où s'étaient rassemblés les dignitaires. Tous les Seconds survivants se tenaient là. Valyr avait perdu Roth dans la foule ; d'une façon aussi fugitive que contradictoire, sa présence lui manqua soudain.

Le Maire – un membre vieillissant de la Sixième Génération, âgé de trente-cinq ans – la salua.

« Valyr Première, pourquoi ne nous ont-ils pas fait signe avant d'arriver comme ça ? (Il avait l'air éperdu.) Pourquoi ne se posent-ils pas ?

— Ils s'attendaient peut-être à une réponse du radiotélescope, dit-elle en haussant les épaules. Puis, ils ont visité la station et ils n'ont trouvé que les dépouilles de trois techs. Ils ont peut-être craint que nous soyons tous morts.

— Mais ils peuvent voir que nous sommes bien vivants, non ?

— Oh oui. Leur équipement est sûrement meilleur que le nôtre quand nous sommes arrivés. Ils nous ont vus. S'ils continuent à tournoyer, c'est sans doute qu'ils effectuent une reconnaissance. Ils cherchent peut-être d'autres colonies, ou bien ils échantillonnent l'atmosphère. Ou bien ils se laissent simplement le temps de ralentir. »

Comme pour confirmer son hypothèse, la navette fit un ultime virage et piqua vers le sol, droit dans leur direction. Un tout petit point qui fonçait vers la mer vineuse. Elle frappa la surface ; des jaillissements liquides dessinèrent des arcs de cercle scintillants de part et d'autre de la carène.

« Ils ne se donnent pas beaucoup de marge », songea Valyr à voix haute. Mais les pilotes de la navette savaient ce qu'ils faisaient. L'engin ralentit et s'immobilisa à une centaine de mètres de la langue de sable. Après une minute, il se remit en mouvement et s'approcha de la rive ; il allait accoster sur la Plage de l'Aube.

Toute la communauté s'y assembla. La navette s'immobilisa non loin au large ; les vagues moutonnantes soulevées par ses propulseurs s'apaisèrent.

À nouveau, Valyr ressentit la même impression d'étrangeté. La coque de l'engin était sculptée de longues rainures, mouchetée de vérins minuscules, perforée d'écoutilles un peu partout. Il lui vint la certitude abrupte que le véhicule était parfaitement amphibie et aurait pu plonger à des profondeurs abyssales sans plus de préparatifs.

Tout le monde vit les formes qui émergeaient de la navette. Des formes *anormales* – mais c'était sûrement l'éloignement, la perspective, qui faussait leur vision. Un radeau fut gonflé en quelques secondes ; les formes embarquèrent et se dirigèrent vers la côte.

Quand elles atteignirent la langue de sable, elles débarquèrent souplement, leurs jambes pivotant de cent quatre-vingts degrés tandis qu'elles escaladaient la brève déclivité, puis retrouvant un mouvement qui aurait été parfaitement normal, n'eût été de l'articulation inversée de leurs genoux. Elles contemplaient les colons avec des yeux énormes, tendaient des mains aux doigts trop nombreux. Elles portaient des combinaisons protectrices et des casques transparents. Pendant un moment, Valyr se permit de soupçonner, d'espérer, de croire, qu'il s'agissait d'extraterrestres. Mais lorsque l'un des intrus s'avança et s'adressa à eux dans un anglais impeccable malgré son accent, ce fut la fin du beau mensonge qu'elle se contait.

« Je suis le sous-commandant Jaime Chilson, affecté à l'arche *Labrador*. »

Il y eut des hoquets de stupeur. Valyr entendit des membres de la foule se récrier, indignés, mais la plupart restèrent interdits, incapables de saisir la situation sur le coup.

« Ils sont comme vous, Valyr Première ! » hurla la petite Chintra, une des rares et précieuses Huitièmes.

C'était là pure calomnie : comme même la Cinquième Génération planifiée par Keller ne l'aurait pas été. Valyr sentit une illumination l'envahir. Les colonies étaient toujours plus conservatrices que les métropoles… même quand elles se croyaient révolutionnaires.

Nouveau-Monde les avait forcés à tout miser sur le développement du plaste ; ils avaient réalisé de grandes choses, sans même bénéficier de l'aide d'un seul spécialiste en la matière.

Pourquoi donc avaient-ils supposé que la Terre n'exploiterait pas le potentiel de la même technologie ? Parce que ce n'était pas nécessaire ? Mais ce l'était. Il fallait adapter l'humanité à la vie dans l'espace. Et il fallait changer pour changer, parce que rien ne restait jamais stable. Pire encore, ces hommes et femmes qui venaient de débarquer avaient quitté la Terre un siècle auparavant. Restait-il sur Terre une seule personne que Valyr aurait reconnue comme humaine ?

Valyr se sentit poussée en avant, même si personne ne l'avait touchée. Les regards des autres lui vrillaient le dos. Elle fit quelques pas en direction des magnifiques étrangers – car oui, malgré leur étrangeté, ils étaient d'une beauté à couper le souffle, et c'était là la plus cruelle des plaisanteries que l'on pouvait asséner à la Première Génération comme à la révolution tardive de ses descendants…

« Bienvenue chez nous, dit-elle en souriant, même si elle n'en éprouvait pas la moindre envie.

— Qui êtes-vous ? »

Valyr répondit par un haussement d'épaules à la question de la femme en face d'elle. Elle était trop vieille pour mentir. Et trop vieille pour se retrouver à la tête de la colonie, que ce soit comme dirigeante effective ou comme simple porte-parole. C'étaient là des rôles dont elle s'était dépouillée depuis longtemps. Si longtemps qu'elle avait abandonné son poste, même si personne ne s'en était aperçu. Elle n'était plus rien qu'elle-même maintenant, bien peu de chose en vérité. Elle s'avança d'un pas hésitant vers les intrus. Les deux hommes qui flanquaient Chilson reculèrent prudemment. Avaient-ils peur d'elle ? Quelle blague ! Chilson, au moins, ne bougeait pas.

Valyr lui tendit la main en plaste qu'elle avait repêchée dans la mer.

« Une épave. »

Ses mots n'indiquaient pas si c'était une réponse à la question posée, une description de son présent ou autre chose tout à fait.

Chilson ne touchait pas à son cadeau. Valyr desserra sa prise et la main chut sur le sable. Valyr la laissa reposer sur la plage, tourna le dos et s'en fut.

Laurent McALLISTER

Laurent McAllister est un auteur virtuel, né de la fusion d'Yves Meynard et de Jean-Louis Trudel, deux auteurs bien connus des lecteurs de **Solaris**. Depuis 1989, il a signé plusieurs nouvelles aux tons très diversifiés, dont « Le Cas du feuilleton *De Québec à la Lune*, par Veritatus » et « En sol brûlant » (**Solaris** 109 et 142), mais aussi une excellente série de fantasy pour la jeunesse, *Les Îles du Zodiaque*, dont le troisième volume, **Le Maître des bourrasques**, est paru chez Médiaspaul en 2006. « Sur la plage des épaves » est la version française de « Driftplast », novella originellement parue en 2001 dans la revue **LC-39**, n° 3.

La Fanfic
Quand le fan devient auteur

par Jérôme-Olivier ALLARD

Suzanne Morel

> Un dieu, pour impressionner un homme, ramasse de la boue et la sculpte en forme d'oiseau. L'oiseau prend vie et s'envole. Le dieu, pompeux, dit à l'homme : « Peux-tu en faire autant ? » L'homme lui répond : « Certainement » et ramasse une poignée de terre. Le dieu l'arrête et lui dit : « Heille, chose, utilise ta propre boue. »

Introduction

À l'ère du copier-coller, le piratage, la copie illégale de musique et le plagiat d'œuvres disponibles sur le web sont chose courante. La question du droit d'auteur est devenue particulièrement sensible, notamment depuis la venue d'Internet. Les communautés artistiques s'organisent pour contrer ce que plusieurs considèrent comme l'un des grands fléaux artistiques du XXIᵉ siècle et exercent des pressions sur les gouvernements pour que ceux-ci fassent appliquer les lois relatives au droit d'auteur. On n'aura qu'à penser, à titre d'exemple, à la fermeture temporaire du site de téléchargement Napster en 2001, suite au dépôt d'une injonction. Mais qu'advient-il lorsque l'œuvre protégée est réinvestie par un admirateur profane désirant en faire émerger une œuvre seconde originale, malgré sa dépendance à l'œuvre première? Quel est le statut d'une telle œuvre, qu'on greffe et qui se développe d'elle-même, mais dont les racines sont ancrées dans l'œuvre initiale? Dans cette optique, j'ai cru bon de me questionner sur le phénomène de la fanfiction, enfant bâtard de la littérature. Par fanfiction, j'entends une fiction (généralement entre 500 et 40000 mots) écrite par le fan d'une œuvre cinématographique, télévisuelle, littéraire ou d'un jeu vidéo et s'inspirant directement de l'univers, des personnages ou des thèmes de cette même œuvre, et ceci, la plupart du temps, sans le consentement de l'auteur de l'œuvre originale. La fanfiction semble ainsi correspondre, d'une certaine manière, à la transfictionnalité, notion définie par Richard Saint-Gelais dans un article[1] disponible en ligne qui me servira d'assise tout au long de ma réflexion. Selon Saint-Gelais, la transfictionnalité

> [...] suppose la mise en relation de deux ou de plusieurs textes sur la base d'une communauté fictionnelle: constituent un ensemble transfictionnel, non pas les textes qui mentionnent un personnage comme Sherlock Holmes [...], mais bien les textes où Holmes figure et agit comme personnage. Il en va de même pour les univers fictifs considérés dans leur ensemble. Un auteur qui situerait une histoire dans MiddleEarth (sic), le monde imaginé par Tolkien dans **The Lord of the Rings**, créerait du coup un ensemble fictionnel dans lequel le texte de Tolkien serait rétrospectivement inclus.

Du fan à la fanfiction

Étymologiquement[2], le terme « fan » découle de fanatique, appellation désormais connotée péjorativement servant à désigner une personne animée d'un zèle aveugle envers une doctrine religieuse. Par extension du phénomène religieux, le fan – appellation qui s'est répandue dans les années 1950 pour nommer l'amateur d'une vedette – est envahi d'un enthousiasme excessif, proche de la ferveur religieuse, pour une star ou, dans le cas qui nous intéresse, pour une œuvre, qu'elle soit littéraire, cinématographique, télévisuelle ou autre. Le fan-club, communauté formée de fans passionnés par une même œuvre, prend d'ailleurs souvent des allures sectaires, puisqu'il encourage le rassemblement relativement hermétique de personnes partageant des goûts, des croyances, voire même un code vestimentaire – on n'aura qu'à penser aux conventions de *Star Trek* ou de *Star Wars* où des fans revêtent les costumes de leurs personnages préférés.

Vincent Rousselet-Blanc, dans **Les Fans : dieux de nos nouvelles mythologies**[3], avance qu'il n'existe pas de modèle type du fan, pas plus qu'il n'existe de modèle type du fondamentaliste religieux. Des dispositions psychiques seraient toutefois en cause, rendant certains individus plus enclins à devenir fans d'une œuvre, par un mécanisme d'identification exacerbé. Certes, il arrive parfois que le fanatisme prenne des allures de fétichisme (une vénération exagérée proche du sexuel), voire carrément de psychose (une perte de contact avec la réalité), comme c'est le cas, notamment, chez les *otakus*, phénomène que je décrirai plus tard. Or, la plupart des fans ne sont pas psychotiques. Pour certains, l'identification à l'œuvre se transforme parfois en impulsion créatrice qui les pousse à devenir ce que j'appellerai des fanauteurs, mot-valise me servant à nommer les auteurs de fanfiction.

Historique de la fanfiction, manifestations et typologie du phénomène

Selon Henry Jenkins[4], on situe les origines de la fanfiction, dans son appellation actuelle, à la fin du XIXe siècle, alors qu'étaient publiées, entre autres par Christina Rossetti et Frances Burnett, des suites, des parodies et des réécritures non autorisées d'**Alice au pays des merveilles** de Lewis Caroll. Déjà au XVIIe siècle, certains auteurs avaient réinvesti le texte mythique de Cervantès pour en écrire des versions inédites. C'est toutefois dans les années 1960 que le mouvement fanfictionnel s'est véritablement établi, surtout dans le milieu des littératures de l'imaginaire. **Spockanalia** (1967) est le premier *fanzine* – entendre *magazine* publié par et pour des *fans* – de *Star Trek* à publier à la fois des œuvres originales et de la fanfiction. La chute du prix de la première photocopieuse mise en marché par Xerox en 1959 a facilité la distribution à plus grande échelle des fanzines et, par le fait même, l'expansion du phénomène de la fanfiction. Au cours des trois décennies qui ont suivi, on a vu apparaître des dizaines d'autres fanzines s'intéressant à différentes œuvres issues de la culture populaire. L'entrée en fonction du *Wide World Web* en 1992 a marqué l'explosion de la fanfiction. Internet, bien qu'il n'ait pas été nécessaire à l'établissement du phénomène, est devenu ce qu'on peut considérer comme un nouveau terrain de jeu pour le fanatisme littéraire. Il y a une vingtaine d'années, faire partie d'un fan-club se limitait souvent à recevoir, par la poste, un macaron et une carte de membre du club des 100 Watts. Désormais, lorsqu'on appartient à la communauté, il est possible de publier des fanfictions individuelles ou collectives, d'en lire, d'en commenter et de permettre, ainsi, l'expansion de l'univers aimé. La communauté interprétative se transforme donc elle-même en communauté créatrice.

C'est en 1998 qu'a été mis en ligne le site américain fanfiction.net, l'une des plus grandes archives de fanfiction et une importante vitrine du phénomène. Le site compte à ce jour près de deux millions de textes écrits par des fans de plus d'un millier de jeux et d'œuvres, autant littéraires que télévisuelles et cinématographiques. On y retrouve majoritairement des textes écrits en anglais, bien qu'il soit possible d'en dénicher quelques-uns écrits en d'autres langues, notamment en français. D'autres sites mériteraient aussi d'être mentionnés[5], mais c'est surtout à fanfiction.net que je me suis arrêté lors de mon étude de la fanfiction.

La plupart des sites que j'ai consultés présentent des caractéristiques semblables. Ils contiennent tous des sections réservées aux membres, qui ne sont accessibles qu'après inscription, et des sections *community* et *forum* qui permettent aux utilisateurs d'afficher leurs profils et de communiquer entre eux. Il semble donc que l'aspect communautaire soit une caractéristique importante du phénomène. En outre, les sites font souvent office de babillards où sont affichés des annonces, des palmarès, des concours, des commandes passées par des fans à des fanauteurs et des liens vers des sites commerciaux. De plus, certains sites de fanfiction offrent même des conseils pratiques aux fanauteurs désirant améliorer leur plume. La plupart des sites proposent des directives d'écriture, souvent sous la forme de politiques de publication touchant autant la qualité de la langue que l'originalité et le caractère moral des œuvres; j'y reviendrai. Presque tous les fanauteurs écrivent sous un pseudonyme et, bien que certains inscrivent quelques informations personnelles (âge, sexe, ville), la plupart se contentent de dresser la liste de leurs intérêts et de leurs loisirs.

Il appert, de prime abord, que la fanfiction est un phénomène issu presque exclusivement de la culture populaire. En effet, une grande majorité des textes qui sont publiés sur fanfiction.net sont inspirés d'œuvres devenues objets de culte. À titre d'exemple, il y avait sur le site, en date du 13 mars 2007, près de 290 000 fanfictions inspirées de l'univers d'*Harry Potter*. Quatre mois plus tard, ce nombre était passé à plus de 300 000. Les aventures du jeune sorcier sont, sans conteste, celles ayant inspiré le plus de fans. **The Lord of the Rings** arrive bon deuxième avec 40 000 titres. Or, bien que la majorité des fanfictions soient inspirées d'œuvres populaires, il y a aussi, mais dans une très faible proportion, des fanfictions d'œuvres dites canoniques, notamment **Les Misérables** (1448), le théâtre de Shakespeare (922), les romans de Jane Austen (583) et le roman **1984** (108). Plusieurs genres d'œuvres font l'objet de fanfiction : le roman, bien sûr, est le plus exploité. Toutefois, le cinéma, les séries télé, les bandes dessinées et les jeux vidéo occupent aussi une place importante sur un site comme fanfiction.net. Bien qu'il y ait un nombre infime de fanfictions sous la forme de films[6], la plupart sont des textes écrits. L'écriture est évidemment privilégiée par les fanauteurs pour son côté beaucoup plus accessible et économique. Elle devient le médium le plus utilisé pour répondre, à l'échelle individuelle, à d'autres médiums de la culture de masse : la télévision, la bande dessinée, le cinéma, les jeux vidéo.

Une même œuvre – prenons à titre d'exemple *Harry Potter* – peut être revisitée de différentes manières par les fanauteurs. Il est d'ailleurs intéressant de noter que le phénomène fanfictionnel possède déjà son propre glossaire (voir l'encadré) et son propre système de classement des textes en une quinzaine de sous-genres, dont le *crossover*, la saison virtuelle, le *lemon*, le *slash* et le *fluff*. Désireux d'établir une certaine typologie de la fanfiction, j'ai, pour ma part, décelé dans ces différents sous-genres quatre modes principaux de réinvestissement de l'œuvre : la continuité, la réécriture, le travestissement et la récupération. Évidemment, il est essentiel de nuancer mon propos en affirmant que ce ne sont là que des catégories générales et ouvertes, et que chacune d'entre elles peut contenir des fanfictions totalement disparates, le « corpus » étudié contenant plusieurs centaines de milliers d'œuvres inégales.

D'abord, la *continuité* est, de loin, le mode de réinvestissement de l'œuvre le plus courant dans la pratique fanfictionnelle, ce qui justifie que j'y accorde plusieurs lignes. D'ailleurs, c'est le mode se rapprochant le plus de ce que Richard Saint-Gelais appelle la transfictionnalité et qui serait

> [à] sa façon, une « machine à voyager à travers l'intertexte » : elle permet aux lecteurs qui aimeraient savoir ce qui arrive après la fin du récit (ou avant qu'il ne commence, ou parallèlement à lui, tandis que le narrateur décrit les agissements de X mais néglige ceux, simultanés, de Y) de satisfaire leur curiosité. Il s'agit d'une pratique courante en paralittérature

(ou les séries, cycles et sagas de toutes sortes abondent), mais dont la littérature générale ne se prive pas non plus[7].

La continuité consisterait donc à prolonger l'œuvre en ajoutant des prologues et des suites cohérents avec le récit original, ou en comblant certaines mailles du tissu textuel : le monde fictif étant, de par sa nature, incomplet[8], à la différence du monde réel. À titre d'exemple, des fans d'*Harry Potter*, incapables de patienter jusqu'à la sortie du septième tome de la saga, ont eux-mêmes écrit la suite des aventures du jeune sorcier. Dans cette optique, David Donson, fanauteur de **Harry Potter and the Lord of Darkness**, a écrit, et je traduis librement : « Je suis un grand fan d'*Harry Potter*, alors j'ai pensé écrire mon propre 7e tome avec ma propre imagination et mon talent[9]. » Déjà aujourd'hui, quelques jours à peine après la parution de **Harry Potter and the Deathly Hallows**, des fanauteurs ont réinvesti le dernier livre de la saga.

Un autre exemple de continuité, que les fanauteurs ont appelé la saison virtuelle, s'applique exclusivement aux fanfictions de séries télé. La saison virtuelle implique souvent le travail commun de plusieurs fanauteurs qui, désirant poursuivre l'histoire d'une série télé retirée des ondes avant la date prévue, écrivent l'équivalent d'une saison complète, normalement composée d'une vingtaine d'épisodes. Par exemple, un groupe[10] de fanauteurs a publié, sous la forme de synopsis, les saisons trois et quatre de la série américaine **Dark Angel**, retirée des ondes par la FOX après deux ans de diffusion. Le phénomène de la saison virtuelle fait état du désir de continuation de l'œuvre et témoigne d'un processus de deuil qui est court-circuité – j'y reviendrai.

De plus, d'autres fanfictions font office de mastic diégétique et servent à combler les trous narratifs de l'œuvre originale. Par exemple, un fanauteur pourrait décrire en détail une scène qui n'est que racontée sommairement dans le texte initial. Cette dernière manifestation de la continuité découle directement de la tendance du cerveau à combler les espaces vides pour que l'information perçue soit interprétée comme un tout cohérent. D'ailleurs, comme le fait remarquer Saint-Gelais, « il ne serait pas raisonnable de supposer qu'un personnage n'ait pas de foie ou de date de naissance (ou, pire, que la question de savoir s'il en a ou non soit rigoureusement indéterminée) sous prétexte que le texte ne spécifie rien à cet égard[11]. »

Le deuxième mode de réinvestissement de l'œuvre que j'ai observé est la *réécriture* en tant que telle, où le fanauteur réécrit (ou élude) une scène de l'œuvre originale qui ne lui plaît pas ou qu'il est incapable d'accepter. Notons que ceci est proscrit sur plusieurs sites de fanfiction. À propos de cet interdit, qui transcende le simple cadre du phénomène fanfictionnel, Richard Saint-Gelais rappelle

> […] que la « nature » de la fiction interdirait d'alléguer des documents ou des données externes pour compléter, vérifier, démentir ou réinterpréter un texte de fiction. Or les pratiques transfictionnelles semblent bien lever cet interdit : il est possible – puisque d'innombrables écrivains l'ont fait –, non seulement d'ajouter des données fictives compatibles avec celles du texte original, mais encore d'injecter des données étonnantes, voire « allergènes », et même de « corriger » le premier texte, soit par réinterprétation des faits, soit carrément par modification de ces derniers.

L'exemple le plus probant[12] de réécriture en fanfiction serait sans doute la surabondance de textes écrits par des fanauteurs endeuillés à la suite de la mort d'un personnage important dans le sixième tome d'*Harry Potter*. Dans ces fanfictions, ledit personnage ne meurt évidemment pas : il est sauvé *in extremis*, ou il n'est littéralement jamais mis en danger, comme c'est le cas dans **Harry Potter and the Help of a Princess**[13] fanfiction écrite par Spellbound-Mione.

Lors de ce que j'ai appelé le *travestissement* de l'œuvre, à des fins ludiques, idéologiques ou simplement fantasmatiques, le fanauteur ne respecte pas la cohérence interne de l'œuvre originale et en utilise aléatoirement le matériel imaginaire. Je prendrai, à titre d'exemple, ce que les fanauteurs nomment le *slash* et qui consiste en une association homosexuelle entre deux personnages hétérosexuels. Le *slash* est fréquemment associé au *lime* ou au *lemon* qui sont respectivement l'ajout de scènes sexuellement implicites ou carrément explicites. Prenons encore une fois *Harry Potter* à titre d'exemple. Un fan a imaginé une relation amoureuse entre Harry Potter et Draco Malefoy, son ennemi juré :

> Harry se tendit légèrement alors que Draco le préparait, mais se détendit à nouveau rapidement.
> « Oh ! »
> Draco sourit.
> « Ta prostate », expliqua-t-il, le taquinant sans merci.
> « Draco… oh… »[14]

Le *slash*, particulièrement lorsqu'il est associé au *lemon*, est, à mon sens, l'une des manifestations les plus flagrantes de ce que j'ai défini comme un travestissement de l'œuvre, puisque cette dernière me semble être relayée à un simple prétexte à l'écriture de fantasmes homosexuels, voire carrément pédophiles et déviants (je vous épargnerai les *slashs* mettant en scène Harry Potter et Dobby l'elfe de maison).

Finalement, le quatrième mode de réinvestissement de l'œuvre en fanfiction est ce que j'ai appelé la *récupération*. Le fanauteur se sert de l'univers inventé par l'auteur comme tremplin créatif pour écrire une œuvre relativement automne : l'univers et les personnages ne sont pas siens, mais la trame narrative l'est. Richard Saint-Gelais, qui rappelle les propos que Todorov tient dans « La Lecture comme construction », souligne qu'il « [...] existe bien des livres qui prolongent d'autres livres, qui écrivent les conséquences de l'univers imaginaire représenté par le premier texte ; mais le contenu du deuxième livre n'est pas considéré habituellement comme étant inhérent à l'univers du premier[15]. » À titre d'exemple, un fan d'*Harry Potter* pourrait écrire les aventures d'un jeune sorcier chinois étudiant dans une école de magie asiatique et ne connaissant Harry Potter que de réputation. Ce mode de réinvestissement me semble être celui se rapprochant le plus de procédés littéraires consacrés par le milieu : l'adaptation et la variation – ce dernier procédé étant entre autres illustré par Kundera dans **Jacques et son maître**. John Reed, quant à lui, publiait, en 2002, chez Roof Books, **Snowball's Chance**, une adaptation anticapitaliste de l'**Animal Farm** d'Orwell qui, même si elle est publiée, est considérée comme une fanfiction. Dans ce texte controversé[16], Reed transforme la ferme des animaux en parc d'attraction où le « Tous les animaux sont égaux, mais certains animaux sont plus égaux que d'autres » d'Orwell devient : « Tous les animaux naissent égaux – ce qu'ils deviennent, ça les regarde. »

Bref, ces quatre modes de réinvestissement de l'œuvre nous interrogent sur le statut auctorial dans un contexte fanfictionnel. Les fanauteurs sont-ils de véritables créateurs ou de simples plagiaires ?

La fanfiction : pure copie ?

En constatant la quantité impressionnante de fanfictions qui sont accessibles sur Internet, on en vient à se questionner sur la présence (ou l'absence) de filtres qualitatifs dans un univers où un texte peut être publié en deux clics de souris. Véritables métastases littéraires, les fanfictions se multiplient, formant des amalgames d'œuvres cancéreuses, au sens où elles se reproduisent de manière erratique. Or, il y a, malgré tout, certains mécanismes d'autorégulation du phénomène fanfictionnel. D'emblée, la plupart des sites hébergeant des fanfictions ont mis en place un système de béta-lecture. Un utilisateur du site peut ainsi faire une première lecture et, par le fait même, apporter des suggestions et/ou des corrections au texte d'un autre fanauteur. De plus, bien que ce ne soit pas le cas de fanfiction.net, certains sites, dont fanfiction.Mugglenet.com, font office de filtre éditorial par l'établissement de certaines règles de publication. Par exemple, fanfiction.Mugglenet.com, dont les règles sont les plus détaillées, refusera, entre autres, tout texte décrivant des scènes de sexualité graphique, d'inceste, de zoophilie et de nécrophilie, comportant un nombre trop important de fautes grammaticales et orthographiques ou tenant des propos racistes, sexistes ou haineux. Ce même site exigera des fanauteurs qu'ils produisent des œuvres originales et qu'ils respectent les droits d'auteur. Pour ce faire, les fanauteurs devront indiquer clairement, par des guillemets, tout matériel directement emprunté à l'auteur ou à un autre fanauteur. Toutefois, malgré ces quelques lignes de conduite, il semble que le filtre soit surtout de nature éthique : apparemment, il n'y a aucune règle qui régisse la qualité esthétique des textes. Certes, il y a tout un système de commentaires permettant aux usagers des sites de critiquer les différentes fanfictions qui y sont publiées. Or, ces usagers sont, pour la plus grande majorité, des non-spécialistes.

Plusieurs écrivains professionnels se sont prononcés en défaveur de la fanfiction. Anne Rice, auteure, entre autres, du célèbre **Entretien avec un vampire**, s'est positionnée catégoriquement contre le phénomène, ce qui a mené au retrait de tous les textes inspirés de ses romans du site fanfiction.net. De plus, Robin Hobb, écrivaine de fantasy, a publié sur son site une tirade contre la fanfiction, où elle clame que celle-ci « is to writing what a cake mix is to gourmet cooking. Fan fiction is an Elvis impersonator who thinks he is original. Fan fiction is Paint-By-Number art[17]. » Pour Robin Hobb, la fanfiction n'est que vulgaire copie, lorsqu'elle n'est pas carrément vol d'identité.

Aux antipodes de la position d'écrivains comme Rice et Hobb se trouvent des auteurs, dont Charles Stross et Cory Doctorow, pour qui le phénomène est loin d'être une plaie littéraire. Doctorow a d'ailleurs fait paraître, sur son blog, puis dans la revue **Locus**, un billet où il se prononce en faveur de la fanfiction, qui est pour lui une étape, sinon essentielle, du moins normale, dans le cheminement d'un écrivain[18]. Pour l'auteur et critique, qui a lui-même fait ses premières armes en écrivant des histoires inspirées de *Star Wars*, la fanfiction n'est pas un art décadent ; elle n'est simplement pas du registre de l'art, puisqu'elle est le résultat non pas d'une volonté esthétique mais bien d'une pulsion profondément humaine, celle de s'approprier et de faire pivoter les histoires qui constituent notre monde. De fait, la lecture implique nécessairement une certaine appropriation d'ordre interprétatif de l'œuvre. Comme le fait remarquer Doctorow, « [o]n ne peut véritablement apprécier un roman qu'on n'a pas interprété – à moins de se faire une représentation mentale des personnages de l'auteur, on n'arrive pas à se soucier de ce qu'ils font et de la raison pour laquelle ils le font. Et une fois que les lecteurs se sont représenté un personnage, il est naturel qu'ils prennent plaisir à imaginer ce que le personnage fait au-delà de ce qui est écrit. [La fanfiction] n'est pas un manque de respect [envers l'œuvre ou son auteur] : c'est une lecture active[19]. » À la lumière de ces arguments autant en faveur qu'en défaveur de la fanfiction, on peut se demander si celle-ci n'est que pure copie et usurpation de la propriété intellectuelle, telle que la définissent Anne Rice et Robin Hobb, ou si elle est, comme le propose Doctorow, l'expression saine d'une lecture active.

Il serait maladroit de poursuivre cet article sur la fanfiction sans rappeler la controverse assez fortement médiatisée qui a entouré, au début 2007, la publication, par les éditions des Intouchables, du roman **Laura l'Immortelle** de Marie-Pierre Côté, une jeune Québécoise de douze ans. Rapidement, les lecteurs et spécialistes des littératures de genre ont remarqué l'étrange ressemblance entre **Laura l'Immortelle** et le film **Highlander** (1986) de Russel Mulcahy, qui mettait en vedette, entre autres, Sean Connery et Christophe Lambert. Il n'aura finalement fallu que quelques mois pour que la vérité éclate au grand jour : la jeune Côté a plagié le texte d'une fanfiction française d'**Highlander** qu'elle avait trouvé sur le Net. Si, ici, il y a visiblement eu viol pur et simple du droit d'auteur, on ne peut toutefois pas affirmer d'emblée que **Laura l'Immortelle** est une fanfiction d'**Highlander** ou, du moins, on peut affirmer que le roman n'a pas été « écrit » avec une visée fanfictionnelle : Marie-Pierre Côté n'est, d'aucune manière, une fan du film de Mulcahy, qu'elle n'a semble-t-il jamais même visionné. À la limite, le roman de la jeune fille pourrait être considéré comme la fanfiction d'une fanfiction. Ce double jeu de miroir montre peut-être que, pour un lecteur n'ayant pas un bagage suffisant pour discerner les ramifications intertextuelles, une fanfiction puisse être reçue comme une œuvre autonome en soi. Or, un cas comme celui de **Laura l'Immortelle** n'est pas caractéristique de la fanfiction et, faisant surtout état du manque de maturité d'une enfant de douze ans, il ne permet pas de poser un jugement éclairé sur le phénomène.

De fait, la fanfiction, dans la grande majorité des cas, n'est pas une copie mot à mot de l'œuvre originale. On ne peut donc pas avancer, en toute connaissance de cause, que les deux œuvres coïncident l'une avec l'autre. Ceci m'amène à établir, à la suite de Michel de M'Uzan, la différence entre le *même* et l'*identique* :

> [L]e dictionnaire déjà ménage une distinction entre l'un des sens de « même », lui conférant la valeur d'une identité approximative de l'ordre de la similitude ou de la ressemblance, tandis que l'identique a trait à des objets parfaitement semblables et constituerait même, dit le Robert, une sorte de superlatif du semblable. On ne saurait ainsi confondre cette situation, où l'on reprend constamment le même texte, le même récit, pour le récrire, avec celle où l'on se limiterait, tels Bouvard et Pécuchet, à le recopier indéfiniment[20].

Puisque le travail de la plupart des fanauteurs n'a que peu de choses à voir avec une démarche à la Bouvard et Pécuchet, les deux copistes du roman de Flaubert, il serait du registre du *même* plutôt que de celui de l'*identique*. Le matériel de l'œuvre originale est, d'une manière ou d'une autre, transformé lors du processus d'écriture d'une fanfiction. D'ailleurs, de M'Uzan poursuit ainsi sa définition du *même* :

> Nous n'avons pas affaire [à] une série simple de mouvements d'aller et retour parfaits. D'une répétition à l'autre, la configuration [...] est insensiblement modifiée, mais modifiée tout de même[21].

Ainsi, cette transformation, dont de M'Uzan fait mention et qui différencie le même de l'indique, me laisse supposer que la fanfiction serait tout de même une œuvre originale. Richard Saint-Gelais souligne que la transfictionnalité, ou dans le cas qui nous intéresse la fanfiction,

> [...] repose sur le postulat d'une identité fictive qui transcenderait les limites d'un texte, mais il devient vite évident que la récurrence des personnages (ou plus généralement des mondes fictifs) peut amener des indéterminations, des paradoxes ou des fractures qui ne laissent pas indemne cette identité postulée au départ. Le « même » y est contaminé par une part d'altérité qui n'échappe jamais tout à fait au lecteur, qui ne suffit généralement pas à parler d'un personnage distinct (ce qui restaurerait l'identité de chacun) mais travaille l'identité de l'intérieur[22].

Or, demeure le problème de l'intégration de l'œuvre initiale, ce qui m'amène à m'intéresser au rapport à l'œuvre qu'entretient le fan, qui est d'abord lecteur avant de devenir fanauteur.

La fanfiction : rumination et commensalité

Richard Saint-Gelais rappelle que « l'un des legs esthétiques du modernisme, repris d'ailleurs par le structuralisme, est le dogme de l'autonomie (et corrélativement de la clôture) des œuvres littéraires[23] ». Dans un même ordre d'idée, Janine Chasseguet-Smirgel avance, dans un chapitre de **La Maladie d'idéalité** portant sur l'idéal du moi et la sublimation dans le processus créateur, qu'il

> [...] n'y a pas de grand homme – artiste, savant, écrivain ou penseur – qui n'ait eu *des modèles, des maîtres, des pères spirituels.* Tout se passe comme si, dans le domaine de la création, la fleur la plus belle, la plus singulière, *jaillissait du terreau de la tradition dans lequel elle enfonce profondément ses racines* (l'auteure souligne)[24].

Dans son essai **L'Atelier vide**[25], René Lapierre avance que, lorsque le processus créateur est bien effectué, l'écriture est l'aboutissement normal de la lecture. Chaque écrivain puise, dans des œuvres aimées avec lesquelles il établit un rapport sensible, l'impulsion créatrice nécessaire à l'écriture d'une œuvre originale ; ces œuvres aimées marquent ainsi le point de départ de la démarche créatrice. Or, certaines dispositions psychiques[26] amèneraient des auteurs à s'inspirer, de manière quasi exclusive comme c'est le cas chez les fanauteurs, de telle ou telle œuvre, ce qui les forcerait « à *fabriquer* et non à *engendrer* [une] œuvre [qui serait ainsi] *essentiellement une imitation*[27]. » Cette imitation, qui selon Chasseguet-Smirgel résulterait de l'idéalisation plutôt que de la sublimation, serait « un moyen magique d'*être* l'objet [et représenterait] une impossibilité : celle de métaboliser l'objet[28] ». René Lapierre appelle « atelier de l'écrivain » l'espace psychique vide qui va accueillir le matériel avec lequel l'auteur va écrire. L'espace vide se remplit d'objets, qui peuvent notamment être des œuvres littéraires ou cinématographiques. Or, il semble que la fanfiction démontre un rapport trouble à l'œuvre, puisqu'un objet d'amour unique emplit à ras bord cet atelier de l'écrivain.

De fait, beaucoup de fans affirment ouvertement qu'ils sont « accrocs » à une œuvre, qu'ils la consomment de façon boulimique : l'œuvre est littéralement incarnée, voire corporifiée ; elle devient aliment. L'identification du fan à l'œuvre est tellement forte que celle-ci agit parfois comme des œillères, restreignant le champ perceptif du fan qui se nourrit, au sens propre du terme, se remplit exclusivement de l'œuvre. Il semble y avoir, dans ce remplissage que je perçois, du moins chez les plus extrêmes fans lecteurs, un passage à l'acte témoignant de fantasmes d'incorporation[29].

Certains fans atteints d'une grave fragilité psychique s'identifient tellement à une œuvre qu'on pourrait penser qu'ils l'incorporent.

Ce cas extrême de fanatisme littéraire est illustré, entre autres, par le phénomène *otaku*[30] qui s'est d'abord répandu au Japon, puis dans le monde occidental. L'*otaku* est un fan tellement obsédé par une passion – une poupée, une idole, une œuvre, un jeu vidéo – qu'il ne vit plus que par et pour le culte qu'il lui voue ; il s'en *nourrit* à un point tel qu'il *devient* sa passion. S'isolant du monde extérieur, l'*otaku* vit généralement dans un minuscule appartement rempli à craquer de l'œuvre fétichisée. Ce phénomène traduit un rapport à l'objet tellement trouble que plusieurs *hardcore gamers*, le penchant jeu vidéo de l'*otaku*, peuvent passer une vingtaine d'heures consécutives en ligne, à jouer à des jeux comme **World of Warcraft**, un jeu de rôle massivement multijoueur. La fragilité de tels sujets est si grande que leur équilibre psychique ne repose plus que sur l'objet d'amour, devenu une fixation de type mélancolique. Dans le cas des *hardcore gamers*, il n'est d'ailleurs pas rare que l'*otaku* se suicide si son avatar virtuel meurt. Certains de ces fans extrêmes sont des fanauteurs.

J'avais avancé plutôt que la fanfiction, notamment à travers le mode de réinvestissement de la continuité, pouvait être l'indice d'un deuil de l'œuvre qui n'était pas fait, qui essayait de se faire. Les fanauteurs, incapables d'accepter la fin de l'œuvre aimée, tentent de prolonger l'expérience de lecture par l'écriture de suites et de prologues. La rupture ayant été trop soudaine – comme c'est le cas, par exemple, lorsqu'une série télé est annulée – il y a eu un silence, un manque de langage, que le fanauteur essaie de combler, par la communication avec l'univers-œuvre. D'aucuns seraient donc tenté de voir, dans la fanfiction, une manifestation de l'incorporation, symptomatisée par la lecture boulimique de fanfictions. L'écriture-excrément apparaîtrait alors comme un moyen de se vider de l'univers ingéré. Or, l'incorporation définie par Abraham et Torok ne me semble pas correspondre généralement au phénomène de la fanfiction, puisque la grande majorité des fanauteurs ne deviendront jamais *otaku*.

En effet, loin d'être une simple relation boulimique à l'œuvre témoignant d'un vide intérieur qu'on tente de combler, la fanfiction ne serait pas dans le registre de l'incorporation-excrétion, mais plutôt dans celui de la rumination. Le fanauteur, qui est lui-même un consommateur de fanfiction, ne tente pas de se remplir de l'œuvre, mais de prolonger infiniment l'expérience de la *dégustation*. On savoure à un point tel qu'on vomit pour mâcher à nouveau : l'accent est mis sur l'ingestion et la mastication. Je serais tenté de voir cette rumination comme un nouveau rapport cognitif au texte qui, souterrain, s'inscrit en marge des modèles classiques de la lecture et de la création littéraire. La fanfiction serait en fait une tentative de produire une réalité créative à mi-chemin entre la création et l'incorporation, qui se ferait sans restes ni digestion.

En cette époque de la sérialité, de l'échantillonnage, de l'esthétique de récupération, du patchwork et de l'intertextualité explicite de l'hyperlien, l'artiste pige dans ce qui existe déjà pour créer, à partir du matériel de base qui est l'œuvre, une œuvre originale. On n'aura qu'à penser, entre autres, à la multiplication d'artistes hyper-

QUELQUES TERMES TIRÉS DU GLOSSAIRE FANFICTIONNEL

Terme	Définition	Exemple
Crossover	Fusion de deux ou plusieurs univers fictionnels	Harry Potter visite le Petit Castor
Virtual season	Compilation de fanfictions sous forme d'épisodes d'une série télé	Saisons 3 et 4 de **Dark Angel**
Schmoop	Histoire mielleuse et hyperromantique	Surabondance de fleurs, chocolats et petites filles en robes roses avec des rubans dans les cheveux
Shipping	Le fait de croire que deux personnages sont faits pour être ensemble	Mulder et Scully s'embrassent enfin. Youpi !
Lime and lemon	Insérer des scènes de sexualité implicites ou explicites	Sexualité graphique, relations plus ou moins consentantes, viols, etc.
Slash	Association homosexuelle de deux personnages	Aragorn vit une passion torride avec Legolas
Acid pairing	Association sexuelle impossible entre deux personnages	Aragorn vit une passion torride avec Treebeard (le gros arbre)
Crack!fic	Les personnages vivent des aventures aléatoires et improbables	Aragorn vit une passion torride au royaume du chocolat
Avatar	Alter ego du fanauteur qui se met lui-même en scène	Steve Senay de Brossard, dixième membre de la Communauté de l'Anneau
Mary Sue	Personnage parfait, idéalisé et clichéet cliché	Steve Senay de Brossard est immortel, lance des boules de feu par les yeux et des éclairs par le derrière

Source des termes : en.wikipedia.org/wiki/Fan_fiction_terminology.

médiatiques se servant notamment de poèmes du XIXe siècle pour créer des œuvres visuelles interactives[31]. En fait, la plupart des créateurs, qu'ils soient scientifiques ou écrivains, ne peuvent – à l'exception peut-être de quelques rares génies révolutionnaires – avancer qu'en s'appuyant sur les théories ou les œuvres précédentes. Les fanauteurs se servent, au même titre que ces créateurs, d'un matériel imaginaire existant déjà pour échafauder une œuvre qui se veut parfois originale. À mon sens, il faudrait envisager la fanfiction comme un mode de rencontre avec l'œuvre qui ne serait pas rigide. René Lapierre écrit d'ailleurs que le rapport du contemporain à l'art et, par le fait même, au texte est souvent trop froid, trop distant :

> Pleins de compréhension mais muets, nous voilà donc malades de l'art. Malades en ce sens qu'un aspect important de notre relation à l'art se réfugie dans une fonction admirative, explicative, interdisant toute forme de rapport sensible aux œuvres. Il serait défendu de s'approcher, d'hésiter ; d'apprendre par à-coups, par bégaiement, par erreur[32].

Ce rapport que définit Lapierre est, à mon sens, bien loin de ce qui se produit dans le cas de la fanfiction. Les fanauteurs éludent toute distance critique pour non seulement se rapprocher de l'œuvre, mais bien pour s'y loger, pour s'y blottir. Toutefois, on ne serait pas face à un rapport à l'œuvre qui serait parasitaire, comme seraient tentés de le voir des auteurs comme Anne Rice et Robin Hobb, mais commensal. Le fanauteur se nourrit des miettes imaginaires de l'auteur de l'œuvre originale, sans que ceci ait une quelconque incidence sur l'intégrité de cette même œuvre. Ainsi, il me semble cohérent d'envisager aussi le phénomène de la fanfiction comme une nouvelle position auctoriale, celle de la commensalité.

Conclusion

D'aucuns pourraient voir, dans la pratique fanfictionnelle, les traces d'une transition obligée d'une culture du livre à une culture de l'écran[33]. De plus, pour certains, Internet et les nouvelles technologies sonnent le glas de la lecture et de l'écriture. Or, la fanfiction nous prouve exactement le contraire : la technologie devient un outil d'expression et de diffusion à grande échelle des différents genres littéraires. Et si, en cette époque effrénée de modes instantanées où la précarité est intrinsèque, il demeure difficile de se prononcer sur l'avenir d'un phénomène, on peut toutefois prédire que les fanauteurs sont là pour rester. En effet, avec la démocratisation des savoirs à laquelle on assiste depuis quelques années (on n'a qu'à penser à l'importance accordée à l'opinion du « vrai monde »), tout un chacun a le droit de se prononcer sur tous les sujets imaginables et de s'autoproclamer spécialiste. La littérature est certainement l'un des domaines les plus touchés par ceci. Combien de fois entend-on un médecin ou une avocate dire qu'il ou elle écrira un roman à sa retraite ? A-t-on déjà entendu un littéraire dire qu'il ferait des chirurgies pendant la sienne ? La littérature et, par extension, l'art sont maintenant à portée de tous ; les fanauteurs comptent bien réclamer leur part du gâteau.

Jérôme-Olivier ALLARD

Notes

1.   Richard Saint-Gelais, « La Fiction à travers l'intertexte ». En ligne : www.fabula.org/forum/colloque99/224.php. Site consulté le 26 avril 2007.

2.   Alain Rey, **Dictionnaire historique de la langue française**, Paris, Le Robert, 2006, 4304 p.

3.   Vincent Rousselet-Blanc, **Les Fans : les dieux de nos nouvelles mythologies**, Paris, Lattès, 1994, 215 p.

4.   Henry Jenkins, **Textual poachers : Television, fans, and participatory culture**, New York, Routledge, 1992, 352 p.

5.   Évidemment, compte tenu de leur grand nombre, seuls les plus populaires ont retenu mon attention. Parmi eux, mentionnons francofanfic.com, qui se spécialise dans la publication de fanfictions écrites par et pour des francophones. Les sites fanfiction.mugglenet.com, hpfanfiction.org et harrypotterfanfiction.com sont les trois sites les plus importants à être exclusivement réservés aux fanfictions concernant l'univers d'*Harry Potter*. Certains sites spécialisés sont restreints non pas à une œuvre, mais à un genre, comme fic.serieunlimit.com, consacré aux séries télé. Finalement, d'autres sites se spécialisent dans les fanfictions adressées à un certain public, comme adultfanfiction.net qui requiert qu'on appose une signature électronique pour consulter les fanfictions coquines qui y sont publiées. Quant au site godawful.net, il présente une compilation des fanfictions reconnues comme étant les plus médiocres ; le slogan du site est d'ailleurs *Read them and weep*.

6.   On n'aura qu'à penser au *Star Wars kid*, un adolescent s'étant filmé alors qu'il imitait ses personnages favoris. À titre anecdotique, après que l'extrait vidéo se soit malencontreusement retrouvé sur le net, le jeune homme a subi une dépression majeure. (On trouvera facilement ce clip sur www.youtube.com.)

7.   Richard Saint-Gelais, *Op. cit.*

8. À cet effet, Saint-Gelais avance que « [l']incomplétude de la fiction tient à un facteur textuel : le fait qu'aucun texte, aussi étendu soit-il, ne parvienne à « couvrir » la fiction qu'il met en place. » *Op. cit.*

9. David M. Donson, **Harry Potter and the Lord of Darkness**. En ligne : www.fanfiction.net/s/3428174/1/. Site consulté le 13 mars 2007.

10. **Virtual Dark Angel**. En ligne : www.virtualdarkangel.com. Site consulté le 13 mars 2007.

11. Richard Saint-Gelais, *Op. cit.*

12. Il me faut reconnaître que, parmi les dizaines de fanfictions que j'ai épluchées, c'est la seule manifestation de réécriture que j'ai trouvée.

13. Spellbound-Mione, **Harry Potter and the Help of a Prince**ss. En ligne : www.fanfiction.net/s/3418978/1/. Site consulté le 13 mars 2007.

14. Leena Asakura, **Magnetic Attraction**. En ligne : www.fanfiction.net/ s/1507041/26/. Site consulté le 13 mars 2007.

15. Richard Saint-Gelais, *Op. cit.*

16. Controversé à un point tel que certains seraient tentés d'y voir un travestissement de l'œuvre plutôt qu'une récupération.

17. Les propos de Hobb sont rapportés à cette adresse : swiftywriting.blogspot.com/2005/11/in-defense-of-fanfiction-guestblogger.html

18. Il est intéressant de noter que quelques auteurs, aujourd'hui professionnels, se sont servis de la fanfiction comme d'un tremplin à leur carrière littéraire. À titre d'exemple, John Reed dont j'ai parlé plus tôt et Tim Lucas, qui a publié **The Book of Renfield** en 2005, une réécriture du **Dracula** de Stoker du point de vue de Renfield, l'entomophage psychotique sous l'influence du Comte vampire. Or, ces deux exceptions ne sont pas représentatives du phénomène de la fanfiction en général. Seulement un nombre très restreint de fanfictions, la plupart issues du mode de réinvestissement de l'œuvre que j'ai nommé récupération, se distancient assez de l'œuvre originale pour s'établir en tant qu'œuvres uniques et relativement autonomes, ce que recherchent, la plupart du temps, les éditeurs.

19. Traduction libre d'un extrait du billet de Doctorow disponible à l'adresse URL : www.locusmag.com/Features/2007/05/cory-doctorow-in-praise-of-fanfic.html

20. Michel de M'Uzan, **De l'Art à la mort**, Paris, Gallimard, 1983, p. 84-85.

21. *Ibid.*, p. 90

22. Richard Saint-Gelais, *Op. cit.*

23. *Idem.*

24. Janine Chasseret-Smirgel, **La Maladie d'idéalité : Essai psychanalytique sur l'idéal du moi**, Paris, Éditions Universitaires (Émergences), 1990, p. 89.

25. René Lapierre, **L'Atelier vide**, Montréal, Herbes rouges, 2003, 149 p.

26. Janine Chasseguet-Smirgel propose qu'il s'agit, entre autres, d'une mauvaise identification œdipienne au père.

27. Janine Chasseguet-Smirgel, *Op. cit,* p. 91-95.

28. *Ibid.*, p. 100-109.

29. Nicolas Abraham et Maria Torok, dans **L'Écorce et le noyau,** associent les fantasmes d'incorporation à la notion de crypte. Selon les psychanalystes, le tout premier deuil, pour s'accomplir correctement, doit être accompagné de langage, instrument permettant au nourrisson de gérer l'absence par la symbolisation. Le sujet incapable d'accepter la perte de l'objet tentera de l'avaler, sous forme de nourriture imaginaire ou réelle, afin de le garder, momifié, en lui, dans une crypte intrapsychique. Au cours de sa vie, un tel individu réagira au deuil, suivant ce modèle fondamental, et sera habité par des fantasmes d'incorporation.

30. Thomas Lamarre, « An Introduction to Otaku Movement », dans **EnterText : An Interactive Interdisciplinary E-Journal for Cultural and Historical Studies and Creative Work,** (4:1), 2004-2005, p. 151-187.

31. À titre d'exemple, **Perte de Temps** de Julie Potvin, disponible à l'adresse : www.perte-de-temps.com.

32. René Lapierre, *Op. cit.*, p. 101.

33. Voir à ce sujet, en autres, les travaux du groupe de recherche NT2 : Nouvelles technologies, nouvelles textualités : www.labo-nt2.uqam.ca/

Sites de fanfiction :

    www.fanfiction.net.
    www.francofanfic.com.
    www.fanfiction.mugglenet.com.
    www.hpfanfiction.org.
    www.harrypotterfanfiction.com.
    www.fic.serieunlimit.com.
    www.adultfanfiction.net.
    www.godawful.net.

Enfant de 82 et ex-libraire allergique aux chats, Jérôme-Olivier Allard aurait voulu être vétérinaire. Après avoir étudié en sciences, en psychologie, puis en droit, il a brûlé toutes ses notes de cours et s'est tourné vers la littérature. Si on lui demande comment il s'est retrouvé là, il prendra un air effrayé et détalera en hurlant. Collaborateur à *L'ASFFQ*, au *DOLQ* et à plusieurs revues, il est critique pour **Solaris** depuis plus d'un an. Il complète actuellement une maîtrise en études littéraires à l'UQÀM, où il s'intéresse aux apories temporelles et à leur résolution dans la littérature.

Collectionner les livres de science-fiction

Suzanne Morel

par
Mario TESSIER

ans la vie d'un lecteur, et de surcroît, dans celle d'un jeune liseur à l'esprit impressionnable et aux habitudes de lecture encore vierges, il se passe inévitablement des rencontres cruciales qui articulent à la fois le labyrinthe infini des découvertes de lecture et le sort d'une vie. Le premier livre qui m'inocula une attirance durable pour la science-fiction fut une anthologie que je débusquai sur les rayonnages d'une bibliothèque scolaire. Ayant pour titre **Histoires fantastiques de demain**[1], le recueil contenait des histoires classiques de l'âge d'or de la science-fiction américaine. Imaginez rassemblées sous la même couverture des nouvelles telles que « Destination Centaure » de van Vogt, « Crépuscule » d'Asimov, « La Planète Shayol » de Cordwainer Smith, ainsi que d'autres histoires de Simak, Bradbury, Sheckley, Padgett, etc. En tout, quinze histoires mémorables, dont je devais redécouvrir et relire les textes au fil de mes lectures ultérieures.

Quel ne fût pas mon bonheur de bibliophile, après trente-cinq ans réminiscences et d'oublis successifs, de retrouver ce volume dans une librairie d'occasion ! Bien qu'il ne s'agisse pas d'un ouvrage d'une grande rareté ou d'une édition de prix, il fait pourtant partie de mes livres les plus précieux. Étrange objet que le livre, en vérité ; fait de la matière la plus fragile et la moins dispendieuse qui soit, cette vulgaire pulpe de bois encapsule pourtant nos rêves les plus chers, nos souvenirs de papier.

ENCADRÉ 1 :

Maisons d'ailleurs et collections d'ici

Les lecteurs assidus se métamorphosent quelquefois en féroces bibliophages et ceux-ci à la longue finissent par ramasser de si impressionnantes quantités de livres qu'elles en deviennent un défi à gérer. Il ne reste alors qu'à liquider ces collections aux enchères ou, au contraire, à en faire des collections publiques. C'est ainsi que certains collectionneurs ont réussi à partager leur obsession en transformant leur patrimoine en musée.

C'est le cas de Pierre Versins, qui fonda en 1976 la Maison d'Ailleurs (www.ailleurs.ch/), à partir de sa collection personnelle de 50 000 documents. Le musée est aujourd'hui géré par la Ville d'Yverdon-les-Bains, en Suisse. Aux États-Unis, Forrest Ackerman a fait la même chose avec son Ackermansion (4forry.best.vwh.net/), situé à Los Angeles, et qui a déjà contenu jusqu'à plus de 300 000 memorabilia liés à la science-fiction, l'horreur et le fantastique (figurines, livres, affiches, costumes, matériel promotionnel, etc.), amassés depuis les années 1920.

Paul G. Allen, un des fondateurs de Microsoft et milliardaire, a, quant à lui, mis sur pied un Science Fiction Museum (www.sfhomeworld.org/), dont les collections ne sont pas seulement littéraires mais constituées également de toutes sortes d'artefacts SF : jouets, décors de films, costumes, etc. Le SFM est officiellement dédié à l'examen des contributions de la science-fiction dans la culture, l'art et la science. C'est également le foyer du Science Fiction Hall of Fame, qui honore les grands luminaires du genre. Le SFM est situé au Seattle Center Campus.

Toutefois, les grands collectionneurs ne disposent pas de tels moyens financiers. Aussi préfèrent-ils donner leurs collections à des organismes qui

Cet obscur objet du désir

Bibliomane, s.m. C'est un homme possédé de la fureur des livres.
Diderot

Ami lecteur ! sans nul doute vous aussi possédez un cabinet d'ouvrages auxquels vous tenez. Habitué de longue date des littératures de genre ou néophyte découvrant la science-fiction avec la revue que vous tenez entre vos mains, avide collectionneur ou amateur négligent, connaisseur exigeant ou simple dilettante, bibliolâtre maniaque ou éboueur de la chose imprimée, selon toute probabilité, vous avez amassé une bibliothèque personnelle qui fait de vous, que vous le vouliez ou non, un *collectionneur de livres*.

Certes, vous n'êtes pas dans quelque obligation que ce soit d'ordonner ou de cataloguer vos bouquins selon un système précis. Mais, peu ou prou, vous êtes confronté, ou le serez un jour, aux problèmes d'organisation qui affligent les bibliophiles plus sérieux : sélection et acquisition, conservation et préservation, classement et rangement.

sauront les faire fructifier auprès des lecteurs et chercheurs potentiels. C'est la raison pour laquelle plusieurs universités abritent des collections importantes de science-fiction, telles la Collection Eaton (eaton-collection.ucr.edu/), appartenant à l'Université de Californie, et la Collection de Fiction Spéculative William J. Heron, située à l'Institut Polytechnique de Virginie (spec.lib.vt.edu/spfic/). On trouvera une liste des collections majeures de SF sur le SF Hub (www.sfhub.ac.uk/).

Notons que certaines bibliothèques publiques, comme celle de la ville de New York (www.nypl.org/research/chss/grd/resguides/scifi/index.html), possèdent également de bonnes collections de science-fiction, destinées à la fois au lecteur comme au chercheur.

C'est notamment le cas de la Merril Collection of Science Fiction, Speculation and Fantasy (www.torontopubliclibrary.ca/uni_spe_mer_index.jsp), gérée par la bibliothèque publique de Toronto. Constituée en 1970 à partir de la bibliothèque personnelle de Judith Merril, cette collection comprend 38 000 livres et 25 000 magazines et contient divers matériaux destinés à la recherche : ouvrages critiques et de référence, manuscrits originaux, correspondance, documents audiovisuels, etc. On y trouve également une large sélection de *pulps* américains.

Au Québec, notons l'existence de la Collection Godbout de l'Université Laval, qui fut créée en 1987 suite à l'acquisition de plus de 7000 livres de science-fiction appartenant à la succession de Gaétan Godbout. La collection devait soutenir les travaux du Centre de recherche en littérature québécoise (CRELIQ) et du Groupe de recherche interdisciplinaire sur les littératures fantastiques dans l'imaginaire québécois (GRILFIQ).

Lire et délire

Le collectionneur, pris au sens noble du terme, est le rare connaisseur qui sélectionne et conserve soigneusement de beaux objets, et dont la collection, unique, constitue une œuvre d'art en soi, une chose de beauté… Mais, plus prosaïquement, le terme peut aussi recouvrir les misérables *ramasseux* que nous sommes, ensevelis sous une pile de bouquins ayant plus ou moins de valeur, et dont le choix découle moins d'une entreprise délibérée et longuement réfléchie que du caprice de l'heure et des toquades de lecture (voir encadré 1). Ne nous en formalisons pas car ce serait gâcher à la fois le sain plaisir de la lecture et celui, moins avouable, du fétichisme de l'objet.

De toute manière, cette collectionnite qui afflige certains lecteurs les forcera sans doute éventuellement à effectuer des choix dans ce qui sera conservé et élagué. On décidera alors de garder l'édition originale plutôt que la réédition en poche, on se débarrassera des exemplaires cornés aux reliures défaites, et l'on conservera seulement les copies en bonne condition. Pour le seul plaisir de la relecture, peut-être se décidera-t-on à acquérir une belle édition, ou se forcera-t-on à plus de discernement dans le choix des lectures à venir, en donnant ainsi autant d'importance au plaisir esthétique du support matériel qu'au verbe comme tel.

Bien que certains soient des collectionneurs mercantiles, pour qui l'acquisition de livres sert à la revente avec profit, la grande majorité des collectionneurs sont d'abord des bibliophiles qui aiment le livre pour lui-même, c'est-à-dire pour la réunion d'un bon texte et d'un bel emballage. Pour ceux d'entre nous qui ne sommes pas uniquement des consommateurs de la chose imprimée et de purs amateurs de littérature, et pour qui le plaisir de la lecture n'est pas la seule considération, le livre est plus qu'un simple avatar du texte. La transmutation de simples matériaux – cellulose, toile, encre, colle – en un objet de beauté et plein de romance transforme souvent nos vies bien au-delà du sens que ses artisans lui ont imparti. Nous prenons soin d'eux, nous les traitons avec déférence et délicatesse, et nous faisons de notre mieux pour leur éviter quelque blessure que ce soit (voir encadré 2). Le seul fait de posséder ces livres et de prendre plaisir à les lire enrichit nos existences et fait nos délices.

Pourquoi collectionner les livres de science-fiction ? Parce qu'ils renferment ce *sense of wonder* si précieux, parce que ce sont de beaux objets, parce qu'ils ont une valeur pécuniaire. Mais surtout parce que nous les aimons.

Les livres, ma destination

Pour collectionner les livres, il faut d'abord en devenir propriétaire. Les quelques pages qui suivent vous donneront peut-être des idées pour mettre la main sur le volume convoité, qui continue d'année en année à vous échapper.

Parmi les librairies générales, les grandes franchises comme Renaud-Bray (www.renaud-bray.com/) et Archambault (www.archambault.ca/) ne possèdent pas en général de vastes fonds et leur choix des nouveautés est, au mieux, médiocre, témoignant ainsi d'un désintérêt et d'une méconnaissance des mouvances actuelles dans les littératures de genre (et c'est particulièrement criant lorsque l'on compare le traitement réservé à ces littératures dans les chaînes anglophones). Les librairies indépendantes, comme la Librairie Pantoute (www.librairiepantoute.com/) s'en tirent généralement un peu mieux, avec de meilleures sélections, et surtout un personnel plus attentionné. D'ailleurs, il ne faut pas hésiter à demander et commander le livre désiré puisque toutes les librairies sérieuses offrent un service de commande. Quant aux librairies anglophones, comme Indigo et Chapters (www.chapters.indigo.ca/), elles offrent, en comparaison, un bien plus vaste choix, sans doute parce que les littératures de genre y sont nettement mieux perçues.

Pour se maintenir au courant des nouveautés, le connaisseur se rabattra donc sur les librairies spécialisées, bien que celles-ci soient extrêmement rares. Ainsi, on se souvient avec nostalgie de la défunte librairie Nebula, à Montréal, dont le propriétaire était Claude Lalumière, un critique et auteur bien connu sur la scène de la SF anglophone. Certains commerces, tel L'Imaginaire (www.imaginaire.com) à Québec, se spécialisent dans les jeux de rôle ou les mangas, et affichent de fort décents étalages de livres de science-fiction.

Ne négligeons pas les librairies d'occasion. On y fait souvent d'heureuses découvertes au hasard des promenades. Et pour peu que l'on connaisse le propriétaire, il vous réservera ses meilleurs morceaux.

Les derniers endroits où l'on peut encore examiner à souhait nos trésors de papier demeurent les Salons du livre. Bien entendu, c'est une occasion de faire signer les livres par les auteurs et d'en décupler ainsi la valeur potentielle. À titre de référence, j'indique ici les principales foires du livre québécoises :

- Bouquinistes du Saint-Laurent (www.lesbouquinistes.org/)
- Salon du livre de Montréal
  (www.salondulivredemontreal.com/)
- Salon international du livre de Québec (www.silq.org/)

ENCADRÉ 2 :
Quelques conseils de conservation

Thomas de Quincey prenait des notes en arrachant les pages des ouvrages qui l'intéressaient. Le poète Wordsworth, quant à lui, ouvrait les feuillets de ses bouquins neufs avec un couteau graisseux. Et le philosophe George Santayana, dit-on, brisait complètement ses livres afin de les lire, cahier par cahier, qu'il jetait ensuite à la poubelle lorsqu'il en avait terminé la lecture. Sans doute ces praticiens de la littérature étaient-ils dans leurs droits de maltraiter ainsi les volumes qui leur appartenaient. Mais on lègue difficilement une belle bibliothèque à ses héritiers avec de telles habitudes de lecture !

Protéger ses trésors de papier est donc certainement une considération majeure pour le collectionneur. Non seulement, vous retirerez plus de plaisir à consulter un volume en bon état mais des livres bien conservés peuvent également se révéler un habile investissement pour l'avenir.

Placez des livres de taille semblable les uns à côté des autres verticalement sur les rayonnages, en faisant attention à ne pas trop les serrer ou à ne pas trop les espacer, pour éviter qu'un livre haut ne se déforme à côté d'un livre court. De nombreux livres s'abîment car les gens ont l'habitude de les retirer des étagères par le haut ou le dos de la reliure. Il est donc préférable de repousser les deux livres adjacents et de retirer le livre voulu en attrapant le milieu de la reliure ; la détérioration commence trop souvent par la tranchefile et la coiffe lorsqu'on saisit cette dernière avec les doigts.

Ne les exposez pas directement à la lumière directe du soleil car celle-ci fane les couvertures et cause le jaunissement du papier. Si vous devez les entreposer dans des boîtes, utilisez de préférence des petites caisses bien scellées afin de les protéger de la poussière ou des éléments. Ne placez pas directement vos livres sur le plancher. Il faut d'ailleurs dépoussiérer régulièrement

- Salon du livre de l'Outaouais Salon du livre de l'Outaouais (www.slo.qc.ca/)
- Salon du livre de Trois-Rivières (www.sltr.qc.ca/)
- Salon du livre du Saguenay-Lac-Saint-Jean (www.salondu-livre.ca/)
- Salon du livre de l'Abitibi-Témiscamingue (www.slat.qc.ca/)
- Salon du livre de Rimouski (www.salondulivrederimouski.ca/)
- Salon du livre de l'Estrie (www.salondulivredelestrie.com)
- Salon du livre de la Côte-Nord (www.salondulivrecotenord.com)

En dernier lieu, soulignons que les conventions de science-fiction comportent presque toujours des tables de vente où des libraires spécialisés dans la littérature de genre proposent leur fonds de commerce. On y trouve plus souvent des livres de poche que des cartonnés votre collection afin de la protéger des champignons et d'autres micro-pestes nuisibles.

N'entreposez jamais vos volumes dans des hangars ou des cabanons extérieurs ; les écarts de température et l'humidité transformeront rapidement vos trésors en pulpe malodorante sans aucune valeur. Au contraire, vos livres devraient être conservés idéalement à une température de 18 degrés C° et à une hygrométrie tournant autour de 55 (+ ou -5) %. Une pièce avec air conditionné à l'année longue est d'ailleurs recommandée afin d'éviter les moisissures. Si vos ouvrages devaient présenter des traces de moisi, exposez-les au soleil ou dans un endroit sec.

Gardez votre collection dans un endroit propre afin d'éviter les infestations d'insectes et de spores. Les collectionneurs attentionnés gardent d'ailleurs leurs items les plus précieux dans des casiers scellés, faits sur mesure, ou dans des sacs sous vide.

Et finalement :

- Ne mangez pas et ne buvez pas en lisant vos ouvrages de collection.
- Gardez vos volumes sur les étagères, et non sur une table de salon où les animaux, les enfants et les visiteurs peu attentionnés peuvent en user et en abuser.
- N'ouvrez pas les livres à plat. Manipulez-les avec soin.
- Ne pliez pas les coins de page. Les signets servent à cela !
- N'écrivez pas dans les pages de garde de vos livres. Servez-vous plutôt d'ex-libris personnalisés pour identifier votre collection.
- *Ne prêtez pas vos livres : personne ne les rend jamais. Les seuls livres que j'ai dans ma bibliothèque sont des livres qu'on m'a prêtés.* Anatole France.

puisque les premiers sont plus faciles à transporter. On trouvera une liste des principales conventions de SF à : www.locusmag.com/Conventions.html.

Les navigateurs de l'infini

Depuis l'apparition de l'Internet, l'achat par correspondance s'est énormément développé et les librairies virtuelles sont devenues le nouvel eldorado des bibliophiles. Amazon (www.amazon.ca/) est certainement le chef de file pour l'achat de livres en ligne. Un site comme SpotCost (www.spotcost.com/) vous servira d'ailleurs à comparer les prix dans les librairies en ligne, et ce, même pour les livres usagés.

Le collectionneur, qui recherche surtout des éditions rares et des livres épuisés, se tournera préférablement vers des outils de recherche susceptibles de lui indiquer dans quelles librairies et chez quels vendeurs il pourra dénicher son petit trésor, de même que le meilleur prix en fonction de la condition matérielle de l'exemplaire.

Abebooks (www.abebooks.com) est sans doute le meilleur site de recherche actuellement. On peut y faire des recherches par auteur, titre, mot-clé et numéro d'ISBN (l'identification internationale standardisée pour les titres de livres). Il répertorie 100 millions de titres dans plus de 13 500 points de vente, répartis dans 53 pays du monde. L'option la plus utile est son filtre géographique. En effet, en cherchant un titre dans leur catalogue, vous trouverez une copie dans la librairie d'occasion la plus près de chez vous (Abebooks effectue ce tour de passe-passe en décodant géographiquement les numéros d'IP, le protocole Internet, de nos requêtes)! Biblio.com (www.biblio.com/) constitue une alternative intéressante, où l'on peut filtrer les résultats selon divers critères : édition originale ou signée, condition de conservation, prix, format *paperback* ou *hardcover*.

Book Finder (www.bookfinder.com/) possède un catalogue de 125 millions de titres, dans lequel on peut faire des recherches selon les mêmes critères. Chez AddAll (www.addall.com/used/), on peut chercher et comparer les prix pour des millions de titres dans plus de 40 grandes librairies et chez 20 000 points de vente. De plus, on peut effectuer des recherches simultanément dans plusieurs sites en ligne tels que Abebooks, Amazon, Livre-rare-book.com, etc.

Bien entendu, Ebay (www.ebay.ca) n'est pas à négliger ; on y trouve littéralement plusieurs centaines d'items de science-fiction offerts en tout temps : livres, vieux *pulps* ou même cédéroms. Certains y bradent leur collection en lots ; on peut obtenir ainsi des centaines de livres à vil prix et y trouver des perles rares. Pour une recherche plus « francophone », on peut aussi aller voir du côté de Delcampe (www.delcampe.net/), pour n'en nommer qu'un – mais comme la majorité des vendeurs qui s'y trouvent sont européens, gare aux fluctuations de l'euro et aux frais de port si vous êtes au Québec !

Oh mon Dieu, c'est plein de livres !

Les clubs de livres accommodent divers marchés de lecteurs : du livre militaire aux ouvrages de cuisine, en passant par le roman policier. La plupart de ces clubs (www.booksonline.com/) sont maintenant sous la férule de Doubleday (www.doubledaybookclub.com/) et du Book of the Month (www.bomc.com/).

Le Science Fiction Book Club (www.sfbc.ca/) a, quant à lui, fêté depuis peu son cinquantième anniversaire. Il dessert maintenant la clientèle canadienne et permet d'acquérir des classiques en réédition, des éditions omnibus (par exemple, des trilogies en un seul volume), des anthologies annuelles, et même des recueils originaux; notons qu'à part les exceptions du SFBC, les clubs de livre ne publient, par principe, jamais d'inédits. Le bulletin de commande mensuel contient beaucoup d'ouvrages pour jeunes adultes ainsi que de la *fantasy* mais les amateurs de science-fiction ne seront pas déçus de la sélection disponible puisqu'on y retrouve des auteurs populaires (Stross, Scalzi) ainsi que des parutions importantes (par exemple, **The Space Opera Renaissance**). Évidemment, les économies que l'on peut faire sur le prix de membre, au demeurant fort raisonnable, est souvent annulé par les frais d'expédition et de poste. Toutefois, on peut quelquefois bénéficier d'offres spéciales permettant d'acheter 3 volumes pour le prix de 2, ou des réductions progressives à l'achat de plusieurs livres. Par ailleurs, l'offre d'introduction est plutôt alléchante puisqu'elle permet d'acquérir 5 bouquins pour 1 dollar! De plus, les moins bons vendeurs sont souvent soldés.

Soulignons tout de même certains désagréments: l'absence de programme de points-cadeaux et l'obligation de retourner le coupon de commande même si on ne désire rien acheter ce mois-là. Par contre, sur ce dernier point, on peut se prévaloir d'un statut spécial afin d'éviter les envois automatiques mais il faut en faire la demande expresse. Le club dispose également d'un site Web, permettant de réclamer rapidement les livres que l'on désire en lieu et remplacement des coupons de commande. Malgré ces restrictions, l'abonnement au SFBC demeure une bonne affaire.[2]

Un blogue spécifique au SFBC (thebookblogger.com/sfbc/) affiche des critiques de livres et annonce les nouvelles parutions.

Note au bibliophile: étant donné que le SFBC est d'abord une maison de réédition, les exemplaires ne sont pas vraiment considérés comme des items de collection. Mais ce sont des volumes durables dont on peut trouver des copies usagées, en bonne condition, souvent à moindre prix qu'en format de poche, en raison de leurs grands tirages. À cause de cet état de fait, malheureusement, l'éditeur n'a pas toujours jugé bon d'insérer des données concernant l'impression sur la page de *copyright*.

En France et au Québec, à part les clubs généralistes, qui offrent la littérature à toutes les sauces, il n'y a pas de club de livres spécialisé en science-fiction. Il n'en fut pas toujours ainsi puisque des volumes de l'excellent Club du livre d'anticipation sont encore disponibles en librairies d'occasion. Fondée par Opta, cette prestigieuse collection (127 ouvrages de 1965-1987) fut consacrée à la réédition de classiques des grands auteurs anglo-saxons. Les ouvrages comportaient généralement deux titres de l'auteur, accompagnés d'un appareil critique et bibliographique complet. À partir de 1970 la ligne éditoriale changea quelque peu avec la parution de romans d'auteurs de la nouvelle SF américaine. Le point culminant fut atteint en 1974 avec la publication en trois volumes de l'œuvre intégrale de Cordwainer Smith. Par la suite le niveau du CLA baissa considérablement avec la parution d'œuvres mineures. Ces livres reliés en toile, et dont la couverture était frappée d'une comète stylisée argentée ou dorée, furent agrémentés de remarquables dessins originaux signés par les meilleurs illustrateurs français tels que Philippe Druillet, Michel Desimon, Nicolas Devil, Moebius, Claude Auclair, Raymond Bertrand, Philippe Caza, etc. Aujourd'hui, leur valeur de revente peut atteindre plus de 150 $, par exemple pour un bel exemplaire, avec jaquette rhodoïd, du **Livre des robots** d'Asimov. (Ce n'est pas si cher payé pour de beaux volumes cartonnés et illustrés, qui étaient déjà dispendieux à l'époque de leur sortie.) En France, durant la grande période des collections de SF, dans les années 1970, il y eut plusieurs clubs de livres offrant des livres reliés avec couverture de toile.

Citons également d'autres clubs de livres, dont ceux d'Édito-Service, avec les collections Anticipation et Les Chefs-d'œuvre de la science-fiction. En Suisse, les Éditions Rencontre, dirigées par Jacques Bergier, rééditaient des classiques comme **La Nébuleuse d'Andromède** et **Solaris**, dans une collection ornée d'un magnifique croissant de lune.

Lieux secrets et vilains messieurs

Basement Full of Books (www.sff.net/bfob/) est un site Web qui rassemble les informations concernant les auteurs vendant eux-mêmes leurs livres. C'est un bon moyen pour les bibliophiles d'obtenir des exemplaires numérotés, des éditions épuisées et des copies signées, en très bonne condition. On peut même obtenir des livres en français car certains auteurs tiennent des éditions en langue étrangère. Par exemple, Harlan Ellison possède les livres suivants dans son inventaire : **Les Barons de Brooklyn**, **La Bête qui criait amour**, et **La Chanson du zombie**. Le site contient un répertoire des auteurs pour chacun desquels on trouve les coordonnées et la liste des ouvrages disponibles. Des écrivains connus, et moins connus, figurent dans ce catalogue : David Brin, Pat Cadigan, George Zebrowski, Michael Bishop, etc.

Plusieurs éditeurs, bien que déjà représentés par des distributeurs, acceptent également les commandes des particuliers. C'est le cas, par exemple, des éditions Alire (www.alire.com/), la maison québécoise spécialisée dans le policier et la science-fiction, à laquelle est rattachée la revue que vous tenez entre les mains. D'autres éditeurs, comme la NESFA Press (www.nesfa.org/press/), l'excellente maison d'édition rattachée au New England Science Fiction Association, offrent leurs livres en ligne ou par la poste, un peu comme les clubs de livres.

Le troc des mondes

Les clubs d'échange, fonctionnant par correspondance, permettent d'échanger avec d'autres lecteurs des livres dont on désire se débarrasser. Par exemple, SF-Books.com (sf-books.com/) est un site Web gratuit qui met en contact des gens du monde entier désireux de faire du troc. Chaque lecteur se constitue une liste de desiderata et de livres qu'il veut donner. Les intéressés communiquent adrelles et adresses postales entre eux afin de finaliser les échanges. Un système de crédit tient compte des livres reçus et envoyés, ce qui permet de choisir des titres dans la base de données entière de livres disponibles. À cause des frais de poste, on préfère nettement les livres en format de poche. Évidemment, il est rare de tomber sur des exemplaires en très bonne condition mais c'est un moyen de mettre la main sur des livres devenus introuvables. Title Trader (www.title-trader.com/) est un autre site populaire. L'équivalent francophone tarde à venir, mais il est vrai que ces sites d'échange sont tout de même une chose assez récente sur la Toile.[3]

Le plaisir, en jaquette et sur les couvertures

Le bibliophile collectionnant les *antiquaria* tire son plaisir de la variété des formes sous lesquelles se présentent les vieux ouvrages. En effet, les éditeurs des XVIIIe et XIXe siècles, souvent eux-mêmes libraires-imprimeurs, avaient chacun leurs façons de faire au niveau de la mise en page, du choix du papier, de l'insertion des incipit et des lettrines, etc. Il n'en est plus de même avec la production industrielle et la standardisation progressive du livre.

Mais comme pour les livres anciens dont on recherche avidement les gravures, l'illustration constitue souvent la raison principale donnant de la valeur à un livre de collection, en dehors, bien sûr, de son état général de conservation.

En science-fiction, et plus particulièrement dans le monde anglo-saxon, la production de livres se fait par l'intermédiaire des *hardcovers* [4], qui comportent habituellement des jaquettes illustrées. Ces couvertures donnent beaucoup de valeur aux livres de collection.[5] C'est d'ailleurs un des critères qui peut décupler le prix d'un volume. Par exemple, une première édition cartonnée de **The Moon is a Harsh Mistress** (1966) de Heinlein se vend entre 200 et 300 $; si elle possède sa jaquette d'origine en bon état, le volume peut se détailler entre 2500 et 3200 $! Étant donné que l'édition française se caractérise par d'autres types de productions, ce critère joue un rôle moindre pour les livres francophones (voir encadré 3). L'équivalent hexagonal de ces cartonnés avec jaquette se retrouve plutôt dans des collections luxueuses comme celle du Club du livre d'anticipation des éditions Opta.

Toutefois, comme aux États-Unis, où le commerce du *paperback* d'occasion est florissant, le marché du livre de poche usagé s'est répandu chez les collectionneurs francophones de science-fiction (voir encadré 4). En effet, ceux-ci ont appris à apprécier les livres

---

ENCADRÉ 3 :

Bibliophilie et science-fiction

Si, au XIXᵉ siècle, la bibliophilie était synonyme de belle littérature française (ah, ces in-octavo avec papier dominoté, gravure et serpente, aux tranches jaspées, et reliés de maroquin rouge… et vous avez vu la vignette de ce colophon !), il n'en est plus de même aujourd'hui. Certes, il y a toujours des bibliophiles obnubilés par les papiers fins, les typographies soignées et les estampes originales des livres de luxe. Mais avec la diversification des publications au XXᵉ siècle et les changements de production, les champs d'intérêts des bibliophiles sont maintenant plus variés. Par exemple, avec le développement des sciences et des techniques, de riches ingénieurs et industriels se sont mis à collectionner les ouvrages de science, notamment en astronomie, en mathématiques, et en radiologie.

Aujourd'hui la bibliophilie s'est démocratisée et des marchés plus accessibles aux clientèles moins fortunées se sont développés. D'ailleurs, toutes sortes de livres sont maintenant recherchées par les collectionneurs : des romans de gares (pensons aux fascicules de l'espion canadien X-13) aux magazines pour jeunes, en passant par les bandes dessinées et les *graphic novels*. Certains choisissent encore les classiques en éditions grand luxe tandis que d'autres recherchent les formats de poche, dont le commerce est plus abordable, comme les livres jeunesse, les ACE et les Avon *paperback* ainsi que les *pulps*. À titre d'exemple, un Jules Verne en Livre de Poche d'avant 1975, bien conservé, peut se négocier aujourd'hui jusqu'à 75 $.

Plus que tout autre genre, la littérature de science-fiction et de fantastique suscite, depuis une quarantaine d'années, l'intérêt croissant des collectionneurs, surtout aux États-Unis où leur nombre est important, mais aussi de plus en plus dans le monde francophone. En effet, les lecteurs qui ont découvert l'édition SF à son apogée durant dans les décennies 1960 et 1970 se sont faits collectionneurs par la suite, conservant précieusement livres et magazines de cette époque.

de poche en fonction de leurs couvertures bariolées. À la fin des années 1960 et des années 1970, avec l'apparition d'excellents dessinateurs tels que Jean-Claude Forest, Moebius, Druillet, Caza, Siudmak, et Bilal (et qui coïncide d'ailleurs avec l'apogée de revues comme **Pilote**), l'illustration française rivalise de qualité avec sa consœur américaine.

À ce titre, la collection de poche ayant les plus belles couvertures illustrées reste sans doute celle des vieux J'ai Lu, mais ses grands tirages ne pourront jamais donner beaucoup de valeur à vos exemplaires. Par contre le Rayon fantastique, la première collection de science-fiction en France est devenue assez rare. Malheureusement, la fragilité de son papier ne lui promet pas une grande longévité. C'est également le cas de la Bibliothèque Marabout et de

La science-fiction est donc devenue, elle aussi, objet de collection. Mais les livres ayant changé, les critères de collection ont également évolué. La valeur d'un volume tient surtout de sa condition matérielle, notamment s'il possède toujours la jaquette d'origine (un facteur qui multiplie souvent son prix de revente par un quotient de 2 à 5) mais, en plus d'être une édition originale ou signée, elle dépend aussi de la popularité de l'auteur. Par exemple, si des auteurs comme Asimov ou Bradbury sont toujours recherchés, d'autres sont maintenant à la mode et leurs livres sont fortement cotés. Parmi ces derniers, notons plus particulièrement Brian Aldiss, Keith Roberts, J. G. Ballard, Philip K. Dick, Peter F. Hamilton, Adam Roberts, Iain Banks, et China Mieville. Un libraire de Montréal proposait récemment une édition originale, signée et dédicacée, de **Do Androids Dream Of Electric Sheep** de Dick pour la somme de 7500 \$US !

Normalement, la présence d'un ex-libris – la vignette artistique portant le nom, la devise, ou les armes du propriétaire de l'ouvrage – diminue la valeur personnelle et commerciale d'un livre pour les bibliophiles. Toutefois, certains parmi ceux-ci vont à contre-courant et ont commencé à collectionner les ex-libris par thèmes, ou ayant appartenus à des auteurs célèbres. Les ex-libris d'Arthur C. Clarke se vendent à partir de 25 \$US sur des sites d'enchères comme Ebay. Des livres ayant appartenu à John Brunner, et comportant des ex-libris dessinés par l'illustrateur Jim Barker, se vendent à partir de 20 \$US.[6]

Depuis le XVIIIe siècle, divers critères établissent la valeur d'un ouvrage : qualité d'impression, reliure, rareté de l'ouvrage, notoriété de l'auteur ou des propriétaires successifs, valeur du texte, état matériel du volume et condition de conservation, éventuelle dédicace, annotations autographes, etc. Soulignons tout de même que les trois critères de base – intérêt, beauté, rareté – demeurent les préoccupations premières du bibliophile. Les beaux livres anciens auront donc toujours plus de valeur. Ainsi, un exemplaire de **Sans dessus dessous**, de Jules Verne, dans un cartonnage d'Hetzel (notamment sa série Dos au phare) peut commander jusqu'à 30 000 \$! Et la cote des Voyages extraordinaires n'en finit pas de monter.

certaines collections comme Le Masque Science-Fiction, dont le papier possède une forte acidité.

L'édition française a donné naissance à d'excellentes collections de science-fiction que le bibliophile collectionne, soit à cause de leur facture soignée, soit en fonction de leur importance historique dans le développement du genre. On peut donner en exemple la collection Présence du Futur de Denoël avec ses couvertures blanches et ses ellipses stylisées, dans laquelle on retrouve les auteurs les plus prestigieux; les collections aux couvertures métalliques (un trope de l'édition SF!) des Éditions Métal, d'Ailleurs et Demain et de la collection Super Fiction chez Albin Michel; la très populaire collection Anticipation au Fleuve Noir et ses couvertures signées Brantonne; l'excellente série d'anthologies du Livre d'Or avec ses bibliographies; l'expérience d'édition des *novellas* de la collection Étoile Double; les collections Anti-mondes et Nébula des Éditions Opta, etc.

ENCADRÉ 4 :
Du livre usagé

Plus souvent qu'autrement, le collectionneur ne peut assouvir sa passion que par l'acquisition de livres usagés. Évidemment, il tombera plus facilement sur des exemplaires déjà défraîchis dont la conservation laisse à désirer. Mais, tant qu'à faire la dépense, mieux vaut toujours choisir la qualité et attendre de dénicher une copie dans le meilleur état matériel possible. Non seulement, le volume ne dépareillera pas la collection toute entière mais sa lecture elle-même en sera d'autant plus satisfaisante.

Un livre d'occasion, donc non neuf, et qui a été lu, devraient présenter les caractéristiques suivantes :

- aucune partie (couverture, page, encart) n'est manquante ou déchirée ;
- aucune trace de réparation (ruban gommé ou colle excédentaire) n'est apparente ;
- la reliure n'est pas cassée, bien qu'elle puisse cependant être marquée ;
- pas de traces de salissures, de gribouillages ou d'annotations sur les pages ou la couverture ;
- pas de traces d'exposition au soleil (couleurs passées ou pages jaunies) ;
- aucune odeur de moisi, ou de traces d'humidité ;
- les pages ou la couverture ne sont pas gondolées, ou cornées de façon irrémédiable.

Voie liste des codes, décrivant l'état matériel d'un livre, utilisés dans les catalogues et les sites de brocante :

L'homme des mots lit… et relie

On le sait, la galaxie Gutenberg est prise d'assaut par les troupes de clones du livre électronique. Que restera-t-il des collectionneurs de livres, ces aristocrates de la vieille garde, si le Papier disparaît ? Il est à parier que les livres, eux, ne s'éteindront pas pour autant. Et qui sait ? Peut-être que les amateurs de littérature et de beaux objets, toujours désireux de toucher physiquement des écrits, imprimeront les textes électroniques pour les relier eux-mêmes et ainsi leur donner une distinction et une élégance que seul le livre possède.

La prochaine chronique du Futurible sera consacrée à une table-ronde entre divers collectionneurs et intervenants du livre (libraire, éditeur, bibliothécaire) qui s'exprimeront sur leur passion commune de la bibliophilie et de la SF.

Mario TESSIER

Nouveau (*New ou N*) : Livre qui n'a jamais été lu et qui est en parfaite condition.

Excellent (*Fine* ou *Very Fine – F* ou *VF*) : Sans défauts. Jaquette en parfaite condition.

Très bon (*Very Good* ou *VG*) : Défauts mineurs. Montre des signes d'usure. Inscriptions sur les pages de garde. Reliure un peu défaite. Possède sa jaquette. Un peu défraîchi mais toujours attrayant.

Bon (*Good* ou *G*) - Défauts possibles de reliure, cahiers défaits, texte souligné, jaquette abîmée, dos râpé ou usé.

Passable (*Fair* ou *FR*) : Copie élimée, fatiguée mais possédant toutes ses pages. La jaquette, ou les pages de garde et de titre peuvent manquer. Passages soulignés ou marqués au feutre.

Mauvais (*Poor* ou *P*) : Exemplaire souillé, déchiré, tout juste bon à la lecture. À éviter.

Connaissez bien vos goûts et vos exigences. Faites preuve de discernement et n'achetez pas un volume dont vous regretteriez plus tard l'apparence. Avec l'abondance des sources d'approvisionnement, et considérant les vastes tirages des titres contemporains, vous trouverez très probablement un exemplaire, encore en bon état, qui vous plaira.

Ressources
Evelyn C. Leeper's Bookstore Lists :
www.geocities.com/Athens/4824/bookshop.htm
David S. Siegel, **The Used Book Lover's Guide to Canada**, Yorktown Heights (N.Y.), Book Hunter Press (The Used Book Lover's Guide Series), 1999, 334 p.
Contient des renseignements sur 850 librairies d'occasion et de livres rares.
Site Web : www.bookhunterpress.com/.

Bibliographie

Jacques Bisceglia, **Trésors du roman policier, de la science-fiction et du fantastique**, Paris, L'Amateur, 1981, 431 p.

Pierre Caillens et Alain Mauret, **L'Argus de la science-fiction**, L'Annonce-Bouquins (ASBL), 2006. Tome 1 : Les auteurs, 484 p. Tome 2 : Collections, revues, essais, polychromes, 500 p.

Christian Castera, **Catalogue Castera : bandes dessinées et roman policier et anticipation pour collectionneurs**, Bordeaux, C. Castera, 1982, 489 p.

Henri Delmas & Alain Julian, **Le Rayon SF : catalogue bibliographique de science-fiction, utopie, voyages extraordinaires**, 2ᵉ éd., Toulouse, Milan, 1985, 436 p.

Stephanie Howlett-West, **The Inter-Galactic Price Guide to Science Fiction, Fantasy & and Horror**, 3ʳᵈ ed., Modesto (CA), Howlett-West, 1999, 408 p.

Christopher P. Stephens, **The Science Fiction and Fantasy Paperback First Edition : A Complete List of Them All (1939-1973)**, Ultramarine, 1991, 144 p.

Notes

1.   **Histoires fantastiques de demain**, quinze récits de science-fiction, choisis et présentés par Alain Dorémieux, Paris, Casterman, 1966, 380 p. Pour voir le sommaire : www.noosfere.com/showcase/casterman.htm. Pour voir les rééditions des nouvelles : sf.marseille.mecreant.org/ouvrage/ouv 000009.htm. Ce volume était le premier d'une excellente série d'anthologies de science-fiction et de fantastique que Dorémieux publia dans la collection Autre temps, Autres mondes chez Casterman. On y trouve aussi des titres comme **Histoires des temps futurs** (1968), **Après-demain, la Terre…** (1971), **Voyages dans l'ailleurs** (1971), parmi d'autres. La collection Casterman compte 14 volumes en tout.

2.   Doubleday vient tout juste de supprimer 280 emplois dans les Book Club, dont les deux éditeurs du SFBC. Il est probable, qu'outre les contrats déjà signés, les éditions omnibus et les anthologies originales disparaîtront du catalogue. De plus, l'avenir même du SFBC n'est plus assuré. Il pourrait être fusionné au Book Club principal de Doubleday. Ce serait bien dommage pour une institution qui existe depuis 1953.

3.   Notons cependant, pour la petite histoire, que des clubs d'échanges moins bien structurés existaient déjà du temps des *BBS* (*Electronic Bulletin System*) et de FidoNet, le réseau électronique alternatif de la fin des années 1980 et du début des années 1990.

4.   Denis Vaugeois, dans son ouvrage sur l'édition au Québec, **L'Amour des livres** (Sillery, Septentrion, 2005, p. 178), affirme que cette tradition anglo-américaine du *hardcover* tient à l'importance des bibliothèques publiques et au désir des bibliothécaires d'acquérir des éditions résistantes aux prêts multiples. Je demeure dubitatif devant cette explication plausible mais certainement incomplète. Les bibliothèques québécoises envoient très souvent les brochés et les encollés à la reliure pour allonger leur durée de vie. Rappelons qu'en France, dont nous avons adopté le

modèle d'édition, les bibliophiles achetaient traditionnellement les livres des libraires/imprimeurs sous forme de cahiers qu'ils faisaient par la suite relier selon leurs spécifications par des relieurs professionnels.

5. Au début du XXe siècle, deux industries ont convergé pour changer la nature de la bibliophilie contemporaine... du moins aux États-Unis. L'invention de la lithographie couleur a coïncidé avec la prise de conscience par l'industrie du livre que les jaquettes unies, originellement fournies pour protéger les livres de la poussière, pouvaient également servir d'outil de promotion pour l'ouvrage. Vers 1920, la couverture de papier avait évolué en un article sophistiqué de réclame. Elle fit alors office de canevas pour de belles illustrations destinées à retenir l'attention de l'éventuel acheteur tandis que les rabats de jaquette servaient aux comptes rendus, aux notices biographiques ainsi qu'aux annonces de titres de l'éditeur. Au milieu du siècle dernier, la jaquette était devenue partie intégrale du volume. Pour le collectionneur moderne de livres anglo-saxons, le critère le plus important afin de déterminer la valeur d'un ouvrage consiste dans la condition matérielle de la couverture de papier. À toutes fins pratiques, un *hardcover* de science-fiction sans jaquette n'a donc que peu de valeur !

6. Vous trouverez plus d'informations sur le site des Confessions of a Bookplate Junkie (bookplatejunkie.blogspot.com/search/label/Science%20Fiction).

Webographie

Anticipation SF : illustrations des livres de science-fiction : science-fiction.gkora.net/
   Contient des centaines de couvertures de titres provenant de 53 collections françaises.
Books and Book Collecting : www.trussel.com/f_books.htm
   Une somme phénoménale d'informations sur ce hobby.
BookThink : www.bookthink.com/
   Contient une série d'articles mensuels sur la bibliophilie SF par Timothy Doyle, intitulée « Collecting Science Fiction ».
Collecting Science Fiction Books : www.collectingsf.com/
   Site dédié à l'acquisition, l'évaluation et la vente des livres de collection en SF, fantaisie et horreur.
Listes SF : toute la science-fiction française : perso.orange.fr/listes.sf/
   Compilation de tous les titres des diverses collections françaises de science-fiction.
Science-fiction – Anticipation : malo44.free.fr/portail.htm
   Site d'un collectionneur français contenant des index des collections.
SF Bookworm : www.collectingsf.com/bookworm/

Blogue portent sur la bibliophile SF.

Le site de Jacques Hamon : www.noosfere.com/showcase/
   Site exhaustif sur les collections de SF française. Contient également un formidable inventaire des *pulps* et des magazines américains, avec des numérisations de couvertures. Indispensable site de référence !

Revues

L'Argus du livre de collection (ISSN : 0764-8111) : www.argusdulivre.org/

Book and Magazine Collector (ISSN : 0952-8601) : www.bookandmagazine-collector.com/

Bulletin du bibliophile (ISSN : 0399-9742) : www.editionsducercledelalibrairie.com/

Locus : The Magazine of the Science Fiction & Fantasy Field (ISSN : 0047-4959) : www.locusmag.com/

Vendeurs spécialisés en SF

Chris Drumm Books : cdrumm.blogspot.com/

Christine Kovach : www.kovachbooks.com/

Barry R. Levin Science Fiction & Fantasy Literature : www.raresf.com/

Lost and Bound : www.lostandbound.com/

Pandora's Books : www.pandora.ca/

SF, BD & Co : www.sfbdco.com/

Withywindle Books : www.withywindlebooks.com/

Mario Tessier travaille à la Bibliothèque de Laval. Il a écrit dans des revues scientifiques (**Astronomie-Québec**, **Québec-Science**) et collabore au site **Science ! On blogue** (http://blogue.sciencepresse.info/culture) de l'Agence Science-Presse. C'est aussi un invité régulier de **Solaris**, où il a publié, outre ses articles, des fictions remarquées comme « Du clonage considéré comme un des beaux-arts », Prix Solaris 2003 (n° 146), « Poussière de diamant » (n° 151) et « Le Regard du trilobite » (n° 159).

Un roman exceptionnel !

480 pages
16,95 $

jacques lazure

la mandragore

SOULIÈRES ÉDITEUR
www.soulieresediteur.com

par **Pascale RAUD** et **Bärbel REINKE**

En raison de sa périodicité trimestrielle, de sa formule et de son nombre restreint de collaborateurs, la revue **Solaris** ne peut couvrir l'ensemble de la production de romans SF, fantastique et fantasy. Cette rubrique propose donc de présenter un pourcentage non négligeable des livres disponibles en librairie au moment de la parution du numéro. Il ne s'agit pas ici de recensions critiques, mais strictement d'informations basées sur les communiqués de presse, les 4es de couverture, les articles consultés, etc. C'est pourquoi l'indication du genre (FA : fantastique ; FY : fantasy ; SF : science-fiction ; HY : plusieurs genres) doit être considérée pour ce qu'elle est, c'est-à-dire une simple indication préliminaire ! Enfin, il est utile de préciser que ne sont pas présentés ici les livres dont nous traitons dans nos articles et rubriques critiques.

Clive BARKER
(FA) **Hellraiser**
Paris, Bragelonne, 2006, 166 p.
Réédition d'un classique de l'horreur, qui a donné lieu à une adaptation cinéma non moins classique.

Stephen BAXTER
(SF) **Les Enfants de la destinée T.2 : Exultant**
Paris, Presses de la Cité, 2007, 528 p.
Deuxième tome d'une trilogie mettant en scène l'humanité dans sa forme la plus évoluée, mais aussi la plus guerrière : saga galactique de grande envergure.

Greg BEAR
(SF) **Les Enfants de Darwin**
Paris, Le Livre de Poche SF, 2007, 634 p.
L'évolution a connu un saut brutal : que va devenir l'ancienne espèce de l'humanité ? Suite de **L'Échelle de Darwin**.

Ugo BELLAGAMBA et Thomas DAY
(FY) **Le Double Corps du roi**
Paris, Folio SF, 2007, 393 p.
Le général Déléthérion a assassiné le vieux roi Yskander, mais pour être roi lui-même, il a besoin de l'armure forgée par le Dieu-Forgeron…

Alain BERSON
(SF) **La Cathédrale noire – Les enfants du Nabuko**
Paris, Quatrième zone, 2007, 303 p.

Deuxième roman de l'auteur de **Souche majeure**, situé dans un futur ultra-technologique.

Jean-Luc BIZIEN
(FA) **Mastication**
Paris, Baleine (Club Van Helsing), 2007, 205 p.

Vuk, ex-légionnaire, doit s'occuper d'une section de la communauté des loups-garous de Paris afin de les éduquer, car à force de commettre des meurtres sans distinction, ils finiront par se faire remarquer.

Henri-Frédéric BLANC
(SF) **L'Évadé du temps**
Paris, Du Rocher (Novella SF), 2007, 131 p.

Pour ne pas qu'on l'envoie mourir en Chine, David Croquette, un vieillard incurable, prend la poudre d'escampette grâce à une machine à décamper du présent, prenant ainsi le risque de tomber sur d'autres voyageurs peu recommandables.

Pierre BORDAGE
(SF) **Les Porteurs d'âmes**
Vauvert, Au diable vauvert, 2007, 501 p.

Léonie, Edmé et Cyrian n'ont rien en commun, si ce n'est qu'ils sont tous les trois des porteurs d'âmes.

Jean-Paul BOURRE
(FA) **Le Crépuscule des dieux**
Paris, Le Pré aux clercs (Le Cabinet fantastique), 2007, 185 p.

Recueil de légendes des dieux nordiques, qui sont le fondement des croyances des peuples du nord.

Melvin BURGESS
(SF) **Rouge sang**
Paris, Folio SF, 2007, 479 p.

Val Volson et Conor veulent tous deux régner sur Londres, désormais dévastée. Dans l'espoir d'obtenir la paix, Val donne sa fille Signy en mariage Conor, mais Siggy, frère jumeau de Signy, ne l'accepte pas.

Jim BUTCHER
(FA) **Les Dossiers Dresden : Dans l'œil du cyclone**
Paris, Bragelonne (L'Ombre), 2007, 346 p.

Harry Dresden est un vrai magicien, et la police de Chicago fait souvent appel à lui. Surtout lorsque l'inexplicable a besoin d'être expliqué…

Jérôme CAMUT
(SF) **Malhorne T.4 : La Matière des songes**
Paris, Bragelonne, 2006, 486 p.

Pour trouver l'Aratta et ainsi avoir la réponse à tous les mystères de l'univers et de l'humanité, Franklin Adamov affrontera de terribles dangers.

Orson Scott CARD
(SF) **L'Ombre du géant**
Nantes, L'Atalante (La dentelle du cygne), 2007,
379 p.

Dernier volet de l'épopée de Bean, ancien bras droit
d'Ender lors des guerres interstellaires, dans lequel
Bean est engagé pour unifier le monde.

Patrick CAUDAL
(FA) **Le Dernier Chant du barde**
Paris, Le Pré aux clercs (Le Cabinet fantastique),
2007, 189 p.

Recueil de contes et légendes bardiques de l'Irlande
à la Bretagne.

Simon CLARK
(FA) **Vampyrrhic**
Paris, Bragelonne, 2007, 485 p.

Les nosferatu vivent sous les ruelles de Leppington.
Comme ils ont faim, c'est tant pis pour vous !

James CLEMENS
(FY) **Les Bannis et les Proscrits T.2 : Les Foudres
de la sor'cière**
Paris, Bragelonne, 2007, 501 p.

Elena, ancienne fille de ferme, porte la marque de
la sorcière. Elle doit découvrir le moyen d'utiliser
sa magie pour contrer le Seigneur noir, avant qu'il
ne puisse la contrôler.

David B. COE
(FY) **La Couronne des 7 royaumes T.7 : L'Armée
de l'ombre**
Paris, Pygmalion, 2007, 260 p.

Soutenu par d'autres monarques et quelques sorciers
restés fidèles, Kentigern commence à se dresser
contre le Tisserand.

Glen COOK
(FY) **La Compagnie noire – Les livres de la
pierre scintillante T.1 : Saisons funestes /
Elle est les ténèbres**
Nantes, L'Atalante (La Dentelle du Cygne), 2007,
951 p.

Omnibus regroupant les septième et huitième livres
de la Compagnie noire, tels que rédigés par Murgen.
Avec des illustrations de Didier Graffet.

Alain DAMASIO
(SF) **La Horde du contrevent**
Paris, Folio SF, 2007, 700 p.

La Horde, formée de vingt-trois hommes et femmes,
part à la recherche de l'origine du vent.

Sara DOUGLASS
(FY) **La Trilogie d'Axis T.3 : L'Homme étoile**
Paris, Bragelonne, 2007, 570 p.

L'armée d'Axis est affaiblie : celui-ci décide de se
sacrifier pour l'épargner. Azhure réussira-t-elle à le
sauver, lui et Faraday, en lutte contre le dieu Artor ?

Dave DUNCAN
(FY) Les Lames du roi T.1 : L'Insigne du chancelier
Paris, Le Livre de Poche, 2007, 505 p.

Assignés à la protection d'une seule personne, les Lames du Roi doivent la servir jusqu'à la mort…

Jennifer FALLON
(FY) La Trilogie de l'enfant démon T.1 : Medalon
Nantes, L'Atalante, 2007, 554 p.

De la Citadelle, les sœurs du Glaive gouvernent Medalon, mais il y aura bientôt des heurts et le capitaine Tarja Tenragan devra choisir son camp, alors que le dernier des Harshini s'est mis en quête de l'enfant démon de la légende…

Debbie FEDERICI et Susan VAUGHT
(FY) La Reine des ombres
Varennes, ADA, 2007, 407 p.

Le Maître des Ombres a été vaincu, mais la reine Jazz est morte. Brenden, roi des sorciers, décide de faire revenir celle-ci du Talamadden.

Raymond E. FEIST
(FY) Faërie
Paris, Bragelonne, 2007, 460 p.

Phil et Gloria s'installent dans une ferme paisible. Mais leurs trois enfants réveillent un monde souterrain, magique et terrifiant.

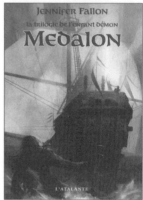

Lynn FLEWELLING
(FY) Le Royaume de Tobin T.5 : La Troisième Orëska
Paris, Pygmalion, 2007, 332 p.

Grâce à un feu magique, le prince Tobin est sur le point d'abandonner son enveloppe corporelle pour devenir Tamir, princesse héritière du trône. Elle seule peut régner sur le royaume de Skala.

David GEMMELL
(FY) Rigante T.4 : Cavalier de l'orage
Paris, Bragelonne, 2007, 424 p.

Le Cœur de Corbeau et le Cavalier de l'orage sont tous deux la clef de la survie du monde. Mais il y aura un prix à payer.

Simon R. GREEN
(FY) La Nuit de la lune bleue
Paris, Bragelonne, 2007, 418 p.

Face à la désagrégation de son royaume le roi John, devra compter sur une équipe plutôt inhabituelle pour l'aider à combattre le prince Démon.

Simon R. GREEN
(FA) Nightside T.1 : Vieux démons
Paris, Bragelonne (L'Ombre), 2007, 253 p.

John Taylor, détective privé, est né dans le Nightside avec un don pour retrouver les objets perdus. Lorsqu'il est engagé pour retrouver une jeune fille en fugue et qu'il doit retourner dans le Nightside, c'est le début d'un retour à la maison mouvementé.

Barbara HAMBLY
(FY) Le Cycle de Darwath T.1 : Les Forces de la nuit
Paris, Folio SF, 2007, 397 p.

Gil Patterson, jeune étudiante californienne, se retrouve du jour au lendemain projetée dans une dimension voisine dans laquelle elle devra lutter contre les Ténébreux pour pouvoir survivre.

Robert HEINLEIN
(SF) L'Enfant tombé des étoiles
Nantes, Terre de Brume (Poussière d'étoiles), 2007, 252 p.

Réédition d'un grand classique de la science-fiction : lorsque la famille Stuart voit une délégation d'extra-terrestres débarquer dans son jardin, plus rien ne sera pareil.

Johan HELIOT
(SF) La Lune n'est pas pour nous
Paris, Folio SF, 2007, 400 p.

Milieu du XXe siècle : l'Allemagne nazie est sur le point de lancer une méga offensive. Sur la lune, les Ishkiss prospèrent grâce à leur technologie très développée…

Johan HELIOT
(FA) Question de mort
Paris, Baleine (Club Van Helsing), 2007, 187 p.

Un jeu macabre, presque un snuff-movie, se déroule sur Internet : tout le monde peut être sélectionné au hasard, et dommage pour ceux qui ne connaissent pas les réponses aux questions !

Robin HOBB
(FY) L'Assassin royal T.12 : L'Homme noir
Paris, J'ai Lu Fantasy, 2007, 327 p.

Avant-dernier tome des aventures de Fitz Chevalier et de ses copains.

Robin HOBB
(FY) Les Aventuriers de la mer T.9 : Les Marches du trône
Paris, Pygmalion, 2007, 332 p.

Dernier volume de ce roman-fleuve. Le trône de Perle vacille en raison des luttes intestines, mais les prophéties d'Ambre sont en marche.

Frédérick HOUDAER
(FA) Ankou, lève-toi
Brest, AK (Polar grimoire), 2007, 173 p.

2007 : un journaliste lyonnais découvre des images de l'Ankou, la Mort, filmée par les G.I. américains pendant la Deuxième Guerre mondiale. L'enquête commence.

Paul KEARNEY
(FY) **Les Monarchies divines T.5 : Les Vaisseaux de l'ouest**
Monaco, Du Rocher, 2007, 332 p.

Dernier tome de la saga. La confrontation finale se prépare : de tous les côtés, les armées se préparent à se battre, qui pour résister à l'invasion, qui pour écraser toute rébellion.

Greg KEYES
(FY) **L'Âge de la déraison T.3 : L'Empire de la déraison**
(FY) **L'Âge de la déraison T.4 : Les Ombres de dieu**
Paris, Pocket SF, 2007, 530 p et 437 p.

Les deux derniers tomes de la série se déroulant dans un XVIIIe siècle parallèle. Newton et Franklin, aidés de la Junte – la société secrète qu'ils ont créée –, continuent leur lutte contre les malakim, qui veulent maintenant s'attaquer à l'Amérique.

Jack KETCHUM
(FA) **Une fille comme les autres**
Paris, Bragelonne, 2007, 350 p.

Ruth Chandler prend ses nièces Meg et Susan en charge après la mort de leurs parents. Elle maltraite les filles, aidée par ses fils et l'indifférence de son entourage. Le tout est raconté par le jeune voisin David qui est tiraillé entre le Bien et le Mal et qui se demande jusqu'où Ruth ira.

Dean KOONTZ
(FA) **L'Étrange Odd Thomas**
Paris, JC Lattès, 2007, 430 p.

Odd Thomas peut communiquer avec les morts. Il devra utiliser ce don pour éviter que le mal ne déferle sur la ville de Pico Mundo.

Nancy KRESS
(SF) **Les Hommes dénaturés**
Paris, Pocket SF, 2007, 309 p.

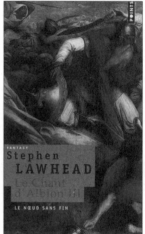

En 2030, les humains ne sont plus capables d'avoir des enfants d'une manière naturelle. Ils sont prêts à tout pour en avoir. À tout ? La militaire Shana Walders sera radiée de l'armée quand elle comprend jusqu'où on pourrait aller.

Stephen LAWHEAD
(FY) **Le Chant d'Albion T.3 : Le Nœud sans fin**
Paris, Seuil (Points Fantasy), 2007, 559 p.

Albion retrouve enfin la paix qu'on enlève l'épouse du roi Llew Main d'argent et de son allié Cyan. Les deux partent accompagnés par le barde Tegid à la recherche de leurs femmes et du Mal qui les menace encore et toujours.

Guillaume LEBEAU
(FA) **Cold Gotha**
Paris, Baleine (Club Van Helsing), 2007, 223 p.

Thriller fantastique qui débute avec la mort suspecte d'une star porno.

Ursula K. LE GUIN
(FY) Terremer
Paris, Le Livre de Poche Fantasy, 2007, 701 p.
Réédition (et révision de la traduction) des trois premiers tomes de la série.

Gustave LE ROUGE
**(SF) Le Mystérieux Docteur Cornélius :
   Épisodes 9-10**
**(SF) Le Mystérieux Docteur Cornélius :
   Épisodes 11-12**
Paris, Manucius (Aventures et Mystères), 2007, 182 et 177 p.
Deux mondes de pensées s'affrontent dans les aventures du gentil savant Bondonnat et l'effroyable sculpteur de chair qui est Cornélius Kramm...

C. S. LEWIS
(FY) Un visage pour l'éternité
Paris, Le Livre de Poche Fantasy, 2007, 318 p.
Orual, la laide aînée des trois filles du roi Glome, aime particulièrement sa sœur benjamine, qui est belle et docile... et qui sera sacrifiée lors d'un rituel religieux. Roman de fantasy qui met la mythologie grecque à l'avant-plan.

Megan LINDHOLM (alias Robin HOBB)
(FY) Le Dieu dans l'ombre
Paris, Le Livre de Poche Fantasy, 2007, 509 p.
Evelyn et ses parents sont en visite chez la belle-famille quand un faune apparaît et les enlèvent dans les forêts d'Alaska vers un dieu dans l'ombre.

Gérard LOMENECH présente...
(FA) Contes fantastiques des pays celtes
Rennes, Terre de Brume (Bibliothèque celte), 2007, 358 p.
Recueil de contes traditionnels en provenance des sept pays celtiques.

James LOVEGROVE
(SF) Days
Paris, J'ai Lu, 2007, 477 p.
Pour mettre la main sur une carte de membre qui donne accès au plus grand magasin du monde où tout s'achète, certains sont prêts de payer le prix fort. Roman satirique sur la société de consommation.

Scott LYNCH
(FY) Les Salauds gentilshommes T.1 : Les Mensonges de Locke Lamora
Paris, Bragelonne, 2007, 551 p.
Locke Lamora est à la tête d'une bande de voleurs qui ont – à tort – la réputation de partager leurs gains avec les pauvres. Mais la cité de Camorr menacée par une guerre interne, il faut d'abord survivre...

Renaud MARHIC
(FY) Terminus Brocéliande
Brest, AK (Polar Grimoire), 2007, 210 p.

L'anthropologue Christophe R. a disparu. Il laisse ses vêtements déchirés et un journal intime qui consignait ses sorties dans une forêt magique. Roman noir avec des éléments de fantasy et de polar.

Graham MASTERTON
(FA) Le Diable en gris
Paris, Bragelonne, 2007, 333 p.

Une série de meurtres atroces, commis par un assaillant que personne ne voit et qui disparaît aussi vite qu'il a attaqué. Decker Martin mène l'enquête, lui-même poursuivi par le fantôme de sa femme décédée.

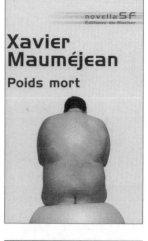

Xavier MAUMEJEAN
(SF) Poids mort
Monaco, Du Rocher (Novella SF), 2007, 127 p.

Paul Châtel veut améliorer sa situation. Il postule pour intégrer le programme « Pondération » chez Taxinom. Il s'engage à prendre 40 kilos en quelques mois. Au bout de l'expérience, il est obèse et heureux, sûr que la chance est de son bord. Mais est-ce vraiment le cas ?

Paul MCAULEY
(SF) Glyphes
Paris, Robert Laffont (Ailleurs et Demain), 2007, 478 p.

Alfie est atteint d'épilepsie depuis qu'il a vu un dessin qui lui a fait perdre connaissance. Puis il trouve un autre glyphe et entreprend des recherches, autant pour comprendre que pour guérir. Mais il n'est pas le seul qui veut en savoir plus.

Fiona MCINTOSH
(FY) Le Dernier Souffle T.1 : Le Don
Paris, Bragelonne, 2007, 510 p.

Le très jeune Wyl Thirsk est général dans l'armée d'un prince cruel. Un jour, il épargne une sorcière et gagne des pouvoirs mystérieux, mais aussi la hargne de son prince. Quand la guerre menace, on l'envoie dans un commando suicide.

Michael MOORCOCK
(SF) Mother London
Paris, Folio SF, 2007, 679 p.

Un hommage à la ville de Londres et un regard sur son histoire à travers celle de trois fous.

Roger MORAND
(FA) Le Seigneur des mouches T.1 : Le Talisman
Thetford Mines, Nenki, 2007, 360 p.

Roman policier fantastique qui vogue sur le courant mystico-conspiratoire.

Gaëlle NOHANT
(FA) L'Ancre des rêves
Paris, Robert Laffont, 2007, 381 p.

Dans un village de pêcheurs en Bretagne, cinq enfants font toutes les nuits des cauchemars qu'ils ne racontent pas à leurs parents. Quant à leur mère, elle leur interdit d'aller au bord de la mer. Est-ce vraiment parce qu'elle craint les forces naturelles ?

Naomi NOVI
(HY) Téméraire T.1 : Les Dragons de sa majesté
Paris, Le Pré aux clercs, 2007, 351 p.

Pendant les guerres napoléoniennes, le capitaine Will Laurence capture un œuf de dragon – c'est avec les dragons qu'on mène les combats aériens. Celui qui sortira de l'œuf, Téméraire, n'est pas comme les autres…

K. J. PARKER
(FY) La Trilogie Loredan T.3 : La Forge des épreuves
Paris, Bragelonne, 2007, 546 p.

Bardas Loredan a franchi les murailles de la cité et il est devenu un héros. Pour le remercier, on lui offre un poste d'administrateur au fin fond du royaume. Il n'y restera pas longtemps…

Pierre PEVEL
(HY) Les Enchantements d'Ambremer
Paris, Le Livre de Poche Fantasy, 2007, 350 p.

En 1909, la ville de Paris est reliée par un métro à l'Outre-Monde et à sa capitale, Ambremer. Le mage Griffont enquête sur un trafic d'objets magiques et se trouve face à une série de meurtres.

Tim POWERS
(SF) Les Puissances de l'invisible
Paris, J'ai Lu, 2007, 687 p.

Andrew Hale, survivant d'une expédition en 1948 sur le mont Ararat, reprend du service en 1963 pour empêcher qu'on entre en contact avec les forces occultes qui s'y trouvent.

Christopher PRIEST
(FA) Une femme sans histoires
Paris, Folio SF, 2007, 384 p.

Alice est une écrivaine dont on a interdit le dernier livre. Quand elle fait la connaissance de Gordon, le fils d'Eleanor, une amie qui vient d'être assassinée, elle se met en quête du passé de cette femme qui, comme elle, était sans histoire.

Irène RADFORD
(FY) Les Descendants de Merlin T.2 : Resmiranda
Paris, Points Fantasy, 2007, 669 p.

Une seule personne peut combattre Radburn Blakely, qui essaie de s'emparer du trône de Jean-sans-terre : Resmiranda !

Robert RANKIN
(SF) Armaggedon T.3: Le Livre des morts banlieusards
Paris, Bragelonne, 2007, 317 p.

Conclusion de cette délirante trilogie : Rex Mundi essaie de sauver la Terre de l'holocauste nucléaire et Elvis chasse l'Antéchrist.

Jennifer D. RICHARD
(FA) Bleu poussière ou La Véritable Histoire de Kaël Tallas
Paris, Robert Laffont, 2007, 315 p.

Le jour de ses vingt ans, Ladislas Baran se retrouve dans une autre vie, un autre monde, où tous le reconnaissent comme le fabuleux Kaël Tallas. Comment faire pour vivre une nouvelle vie ?

Keith ROBERTS
(SF) Survol
Rennes, Terre de Brume, 2007, 383 p.

Une société post-atomique vit figée dans une attitude de surveillance inutile puisque les dangers qu'elle guette avec des cerfs-volants géants n'existent plus.

Kim Stanley ROBINSON
(SF) Les Martiens
Paris, Pocket SF, 2007, 538 p.

Pour faire suite à sa célèbre trilogie, Robinson propose de nouvelles histoires sur les humains qui peuplent désormais Mars.

Sean RUSSELL
(FY) La Guerre des cygnes T.3 : L'Île de la bataille
Paris, Folio SF, 2007, 602 p.

C'est la guerre et tous y seront entraînés, même le pacifique Alaan qui se retire blessé dans les Terres secrètes, un lieu magique d'où on ne revient pas…

Lynn SHOLES
(HY) Le Mystère de Cotten Stone : Le Dernier Secret
Varennes, ADA, 2007, 465 p.

Une vague de suicides se répand à travers le monde. Contre toute attente, le Vatican déclare qu'elle est causée par des forces diaboliques. Seule Cotten Stone, la fille d'un ange, sera à même de lire le message de la dernière tablette sacrée révélant le mystère et de sauver l'humanité.

S. P. SOMTOW
(FA) La Trilogie de Timmy Valentine T.3 : Vanitas
Paris, Folio SF, 2007, 526 p.

Timmy Valentine est revenu dans notre monde dans la peau d'Angel Todd, une très jeune star du rock. Ce qui n'est guère évident pour Timmy, d'autant que Todd, lui, a du mal à s'adapter à sa condition de vampire et veut revenir sur le devant de la scène.

Mary STEWART
(FY) Le Cycle de Merlin T.3 : Le Dernier Enchantement
Paris, Calmann-Lévy, 2007, 415 p.

Après avoir retiré l'épée de la pierre, Arthur est le roi incontesté. Mais sa sœur, la reine sorcière Morgause, lui tend un piège… Une autre relecture du mythe arthurien.

Thomas Burnett SWANN
(FY) Le Cycle du Latium T.1 : Le Phénix vert
Paris, Points Fantasy, 2007, 222 p.

Réédition du *Cycle du Latium* qui raconte la fondation de Rome et son histoire. Postface d'André-François Ruaud.

Maud TABACHNIK
(FA) Tous ne sont pas des monstres
Paris, Baleine (Club Van Helsing), 2007, 189 p.

Quand des musulmans lâchent une créature destructrice sur Prague, Nathan n'hésite pas à réveiller les puissances qui habitent les sous-sols du cimetière juif de la ville.

J.R.R. TOLKIEN
(FY) La Formation de la Terre du Milieu
Paris, Christian Bourgois, 2007, 408 p.

Comprend les deux versions « authentiques » du *Silmarillion*, qui racontent la création du monde, l'apparition des dieux et des Elfes, les premières batailles et l'histoire de grands héros comme Túrin...

Karen TRAVISS
(SF) Les Guerres Wess'har T.1 : La Cité de perle
Paris, Bragelonne, 2007, 344 pages

À vingt-cinq années-lumière de la Terre survit un petit groupe de Terriens sous le contrôle du Wess'har Aras. Quand des scientifiques guidés par le policier environnemental Shan Frankland arrivent, les conflits sont inéluctables.

Jack VANCE
(SF) Les Chroniques de Durdane
Paris, Denoël (Lunes d'Encre), 2007, 631 p.

Réédition de l'intégrale des *Chroniques de Durdane*.

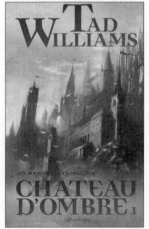

Herbert Georges WELLS
(SF) Les Chefs-d'œuvre d'H. G. Wells
Paris, Omnibus/SF, 2007, 1182 p.

Contient *La Machine à explorer le temps, Les Premiers Hommes dans la Lune, La Guerre des mondes, L'Île du docteur Moreau* et bien d'autres.

Tad WILLIAMS
(FY) Le Royaume des marches : Le Château d'ombre T.1 et T.2
Paris, Calmann-Lévy, 2007, 354 et 364 p.

Le château d'ombre est le rempart des humains contre les Qars, qui peuplent la zone derrière la

ligne de l'ombre. Après une longue trêve, de nouvelles hostilités s'annoncent et, finalement, la guerre
éclate entre les deux peuples.

Jack WILLIAMSON
(SF) **Ceux de la légion T.1 : La Légion de l'espace**
Paris, Folio SF, 2007, 303 p.

La légion de l'espace défend le système solaire.
Devant les attaques des Méduses qui menacent l'humanité, la légion est vite sans défense. Le seul salut
se trouve dans AKKA, une arme secrète.

Connie WILLIS
(SF) **Passage**
Paris, J'ai Lu SF, 2007, 924 p.

Joanna Lander, qui explore des expériences de mort
imminente, accepte de travailler sur des EMI sti-
mulées par une drogue. Elle ne se doute pas de ce
qu'elle déclenchera.

Gene WOLFE
(SF) **La Cinquième tête de cerbère**
Paris, Livre de Poche SF, 2007, 347 p.

En peuplant les planètes Sainte-Anne et Sainte-
Croix, les Français ont tué la population de cette
dernière. Des années plus tard, un ethnologue
veut explorer ce qu'il reste de cette population
devenue mythique pour les colonisateurs.

Michel Tremblay
Le Trou dans le mur
Montréal: Leméac/Actes Sud, 2006,
241 p.

Suites, uchronies, steampunk, fantasy: la tendance est à l'exploration de mondes déjà connus, dans l'espoir d'en tirer une émotion nouvelle. Michel Tremblay n'y échappe pas: il convie ses lecteurs à se replonger dans un univers qui leur est déjà familier.

Avant tout, Tremblay rend hommage dans ce livre à deux œuvres de jeunesse relevant du fantastique: **Contes pour buveurs attardés** (recueil paru en 1966, mais dont les textes post-datés remontaient en fait à 1960-1962) et **La Cité dans l'œuf** (1969). Le protagoniste du livre est celui-là même qui revenait de la cité dans l'œuf de verre du roman, tandis que la structure du texte matérialise le schéma suggéré par le titre du recueil (qui se contentait en fait d'aligner des contes sans décrire explicitement le lieu où se rencontraient les buveurs).

Le préambule est assez long. L'auteur replonge dans le fantastique avec toutes les hésitations d'un vieil homme retournant pour la première fois au bordel qui vit ses premiers ébats. Il multiplie les précautions oratoires sous la forme des tergiversations du personnage qui répugne à renouer avec des aventures qu'on l'avait convaincu de ne plus jamais mentionner. Tremblay n'a-t-il pas déjà renié à demi-mot son passé de fantastiqueur? Au sujet de **Contes pour buveurs attardés**, il écrivait en 1985: « Ces contes me font aujourd'hui sourire, comme s'ils avaient été écrits par quelqu'un d'autre, quelqu'un de très naïf, de trop sensible, un malheureux, touchant et (pourquoi ne pas le dire) doué jeune homme avec qui on a envie de jouer au papa. » (En 1966, l'accueil de la critique montrait déjà les limites de la culture littéraire québécoise: alors que Tremblay s'inspirait ouvertement de Jean Ray et de fantastiqueurs relativement contemporains, Adrien Thério citait... Edgar Allan Poe.)

Le cadre du recueil est fantastique, car le narrateur tombe un jour sur une porte dans une façade de la rue Saint-Laurent qui n'avait jamais existé auparavant et qui n'existera que pour lui. Cette porte le conduit dans un bar en sous-sol du théâtre du Monument-National, un lieu diabolique où patientent les âmes en peine en attendant une personne à se confier. Si elles obtiennent l'absolution, elles pourront monter à l'étage au-dessus, passant du purgatoire au paradis.

Mais les cinq contes du recueil ne sont pas du tout fantastiques. Ils racontent tous le destin d'un personnage de cette *Main* à demi-fictive que Tremblay a mis en scène dans ses œuvres. Il y a une chanteuse, Gloria la si peu glorieuse, et un musicien de rue, Willy Ouellette, le roi de la ruine-babines. Il y a un acteur, Valentin Dumas. Il y a un travesti, Jean-le-Décollé. Et il y a le tueur du boss local, Tooth-pick, le bourreau.

Le narrateur lui-même souligne la bizarrerie d'une situation fantastique qui aboutit à l'écoute d'histoires parfaitement ordinaires. Et c'est effectivement le reflet inversé de la situation postulée en 1969, quand les récits fantastiques étaient relatés par et pour des buveurs dans un bar présumément ordinaire.

Tremblay entretient savamment le suspense. À chaque confession, le narrateur ressort à l'air libre en découvrant un monde dont les couleurs se délavent et se perdent, de sorte qu'il peut craindre d'émerger un jour dans un monde incolore ou disparu. Puis, il apprend qu'il pourrait avoir à écouter la confession de Tooth-pick, dont les actes de cruauté ne se comptent plus (mais peuvent se conter). Et qu'il pourrait être appelé à le remplacer s'il lui accorde l'absolution… La nature du paradis en question, à l'étage au-dessus, lancine aussi et le narrateur se risquera à le visiter rapidement, découvrant quelque chose qui ressemble à un party de Noël éternel.

Il y a des constantes dans les contes de Tremblay : plusieurs personnages sont des forts en gueule, manifestant une forfanterie essentielle à la survie dans les bouges et recoins de la *Main*. Mais lorsque la mort (qui prend d'habitude les traits de Tooth-pick) vient les visiter, ils craquent et supplient. Même Tooth-pick quand il y passe, à son tour.

La fin de Tooth-pick détonne, pourtant. La mort que lui réservent les habitués de la *Main* est gothique sans être originale. Si elle satisfait le besoin de justice immanente du lecteur, cette exécution semble bien recherchée – bien littéraire, en un mot.

Bref, c'est un livre qui bouscule les habitudes. Le fantastique y est plutôt gentillet et bon enfant, tandis que les récits réalistes sont baroques et horrifiques. C'est aussi un hommage d'esthète cultivé au passé. Tremblay évoque non seulement des éléments de sa propre œuvre, mais aussi des personnages de la scène et du cinéma d'il y a cinquante ans. Des noms à moitié oubliés défilent : Xavier Cugat, Lionel Daunais, Yvonne de Carlo… Et on a certes l'impression

Michel Tremblay

Le trou dans le mur

roman

LEMÉAC / ACTES SUD

que Tremblay, apôtre du joual, règle ses comptes avec un certain théâtre québécois d'avant la Révolution tranquille, dominé par des acteurs ou professionnels d'origine française, en particulier quand il présente le personnage de Valentin Dumas, l'importé de service.

Le talent de Tremblay est indéniable et on ne s'ennuie pas. Est-ce que ce livre mérite d'occuper la même place dans la production fantastique que ses ouvrages des années soixante ? Je dirais que oui, mais peut-être par défaut, aujourd'hui comme hier. Ses **Contes pour buveurs attardés** n'étaient pas nécessairement plus frappants que ceux de Claude Mathieu ou Roch Carrier à la même époque, mais ils avaient le mérite d'exister. **Le Trou dans le mur** ne révolutionne pas le genre, mais il est livré avec un brio qui mérite le détour.

Jean-Louis TRUDEL

Théodore Roszak
Les Mémoires d'Elisabeth Frankenstein
Paris, Le Cherche Midi (Néo), 2007,
560 p.

Quand, dans une autre vie, j'ai lu le **Frankenstein** de Mary Shelley pour la première fois, je me souviens d'avoir été vivement déçu : descriptions interminables, style lyrico-romantique larmoyant insupportable, manque d'action, etc. Ça n'arrivait pas à la cheville du **Dracula** de Bram Stoker ! Et puis le prof de littérature a pris le dessus sur l'amateur de fantastique. Au fil des ans et des relectures, j'ai découvert toutes les richesses de cette œuvre romantique prémonitoire, à la fois narration gothique, récit de terreur, et roman d'anticipation aux accents fantastiques dans lequel la jeune Mary Shelley anticipe avec brio les problèmes fondamentaux de la science contemporaine. On se souviendra que le récit avait trois narrateurs : le navigateur Robert Walton (qui écrit à sa sœur) recueille les confessions de Victor Frankenstein qui (mise en abyme) donne la parole à son affreuse créature. Elizabeth, la jeune mariée assassinée par le monstre, n'est qu'un personnage secondaire qui ne donne jamais sa propre version des événements.

Theodore Roszak, un érudit à la fois essayiste, historien et romancier,

vient combler cette lacune dans ce livre magistral qui devrait réjouir tous les amateurs de l'œuvre originale. Une fois encore, le navigateur Sir Robert Walton est mis à contribution. Cette fois, il nous livre les mémoires d'Elizabeth, le tout assorti de commentaires personnels destinés à nous éclairer sur certains aspects obscurs du récit. De son adoption par la baronne Frankenstein jusqu'à sa fin tragique, nous suivons le destin sans pareil de la jeune Élizabeth, introduite dans le monde secret des sorcières et initiée à l'alchimie, aux lois de la nature et à celles du corps. Promise à Victor Frankenstein, un illuminé épris de science qui s'égare dans sa quête et finit par créer un être vivant monstrueux, elle connaîtra une fin horrible aux mains de la créature (malheureusement) pré-nommée Adam (dans l'œuvre originale, elle n'a pas de nom, et pour cause : son « père » ne la reconnaît pas, elle « n'existe » pas !).

Pour pleinement apprécier ce roman riche en érudition, dans lequel l'auteur a su retrouver le ton et le style de l'original, il faut impérativement avoir lu le roman de Mary Shelley. L'un ne va pas sans l'autre. Sans la lecture de **Frankenstein**, le lecteur non initié risque de se perdre dans ce nouvel opus qui est comme une sorte de complément. Dans **Les Mémoires d'Elizabeth Franken-stein**, Roszak introduit des éléments féministes qui ne figurent pas dans le récit de Mary Shelley. Elizabeth incarne l'univers féminin respectueux de la loi naturelle, alors que Victor prétend pouvoir créer une vie qui ne serait pas née du ventre de la femme, mais de la science.

À la fois hommage à la féminité (et à Mary Shelley) ainsi que ré-flexion passionnée sur la science et ses dérives, ces mémoires inédites ne manqueront pas de passionner les fans de l'œuvre de Mary Shelley. Seule ombre au tableau, Theodore Roszak, à l'instar d'un Umberto Eco, a tendance à étaler son érudition, ce qui entraîne quelques parfois longueurs. Ça reste cependant un irritant mineur dans cette histoire habilement menée par un auteur qui connaît bien son sujet. Une lecture recommandée.

Norbert SPEHNER

Alfred Bester
L'Homme démoli
Terminus les étoiles
Paris, Denoël (Lunes d'encre), 2007, 578 p.

Les éditions Denoël ont entrepris de publier l'œuvre complète d'Alfred Bester, un des auteurs de science-fiction les plus importants des années 50. Le premier volume comprend deux chefs-d'œuvre indémodables.

Couronné par le premier prix Hugo en 1953, **L'Homme démoli** est un impitoyable thriller de SF qui expose la lutte entre un magnat criminel et un policier télépathe dans une civilisation du futur décadente, livrés aux pires contradictions morales. Comme pour les poupées russes, le récit emboîte différents niveaux de lecture. L'analyse sociétale (sans complaisance) se double d'une captivante approche psychanalytique des deux protagonistes principaux. L'intrigue n'est cependant qu'une des facettes du roman. Pour illustrer sa conception de l'écriture et traduire les concepts qu'il avance (télépathie, communion instantanée d'esprit à esprit), l'auteur déploie en effet une incroyable virtuosité narrative : explosion de la forme, calligrammes, collages, tout l'arsenal des surréalistes et des da-daïstes est convoqué. Si bien que le lecteur est emporté dans une sorte de maelström baroque, grisé par le flot déchaîné des mots, par le feu d'artifice des d'idées, de péripéties, des rebondissements.

Terminus les étoiles commence de manière plus traditionnelle. Un naufragé de l'espace attend un secours qui ne viendra jamais, malgré des demandes répétées d'assistance.

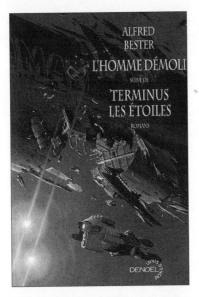

La suite du roman raconte son sauvetage miraculeux et sa longue course vers la vengeance. Construit sur le modèle du **Comte de Monte-Cristo**, l'ouvrage se veut aussi une réflexion sur les formes de pouvoir et ses corruptions, ainsi que sur la violence. Celle-ci se conjugue, éclate sur tous les modes : intimiste, macroscopique, cosmique. Brutalités, tueries, horreurs. Les personnages évoluent au milieu d'un délire de sang ; les corps sont torturés, gauchis, transformés ; les esprits flottent dans la paranoïa ; l'amour est au mieux sadique, ou plus simplement destructeur. Au fabuleux décor de l'espace piqueté d'étoiles se juxtaposent des images de désespoir, d'une noirceur absolue. La narration ressemble beaucoup à celle de **L'Homme démoli** : rapide, foisonnante, presque sauvage.

Avec Bester, la littérature d'anticipation s'essaye à des œuvres plus adultes, davantage tournées sur le fait humain que sur les inventions scientifiques et les prouesses guerrières. **L'Homme démoli, Terminus les étoiles** : deux romans, deux chefs-d'œuvre inscrits au panthéon du genre. Leur aspect de banal thriller ou de *space opera* à l'ancienne cache une richesse, une inventivité permanente, même si on n'atteint pas la virtuosité et la puissance d'évocation des **Clowns de l'Eden**. À l'époque, Bester est encore perfectible, sacrifiant trop la vraisemblance au bénéfice d'une progression effrénée, d'une narration kaléidoscopique. D'autre part certains personnages manquent de consistance, ou relèvent des clichés les plus éculés (les femmes notamment). Rien de rédhibitoire cependant. La réédition dans une nouvelle traduction, avec deux préfaces éclairantes de Serge Lehman et Neil Gaiman, ne manquera pas de rallier les vieux connaisseurs et les nouveaux lecteurs. *[SL]*

Thomas Day
Le Trône d'ébène
Saint Mammès, Le Bélial', 2007, 281 p.

Français de Paris et de l'exil, Thomas Day est divisé à plusieurs titres. Éditeur, rédacteur dans la revue **Bifrost**, il vit au rythme d'un monde violent, cruel, asphyxiant, tout en écrivant, à intervalle régulier, des livres rapides, étranges et courts.

Il appartient à cette génération d'auteurs dont la vie a été littéralement happée par la culture *geek* : il reste à ceux qui n'y ont pas perdu leur âme le goût des idées libertaires, des actions farouchement individualistes. Logiquement, Day tisse dans ses romans des histoires singulières où l'individu est irrémédiablement seul. Ses héros cahotent comme des cailloux dévalant une pente raide. « Nous, Zoulous, avons une prophétie […] Cette prophétie dit qu'un jour un enfant aux grands pouvoirs naîtra et qu'avec lui s'ouvrira une ère durant laquelle « amazoulou » signifiera terreur et mort pour tous les peuples du pays n'guni et des pays voisins […] Cependant, un jour d'adversité, confronté à un ennemi de nulle part, cet empereur, qui sera un homme avant tout, aura un choix à faire. S'il déshonore le sang qui coule dans ses veines, […] alors c'est de son sang que viendra la trahison, c'est l'un de ses plus proches qui provoquera sa chute du royaume des hommes vers celui des dieux et, dans ce cas, pour le souverain si craint, trahi mais victorieux mille fois avant la trahison, il n'y aura pas de chute moins que superbe et son nom ne connaîtra jamais l'oubli. » À la fin du **Trône d'ébène**, Chaka, l'enfant devenu empereur, isolé dans sa folie, meurt assassiné et rejoint en pleine gloire le pays des dieux.

Senza N'gakona, prince des Zoulous, a quatre épouses, mais pas d'héritier mâle. De son union avec sa cinquième femme, Nandi, naît un fils, grand et vigoureux. Il est nommé Chaka, « parce que c'est le bruit de la lance, quand projetée de moins de trois pas elle trouve et déchire le cœur de l'ennemi. » Or, cette union est consommée avant la cérémonie du mariage, faute grave dans cette tribu. Les premières

épouses de Senza ayant à leur tour donné naissance à des garçons, elles complotent pour obliger le prince à chasser Nandi et son fils vers une tribu voisine. Ainsi commence la vie de Chaka, marquée par le rejet d'un père, l'exil, les railleries et les coups des autres enfants. Il grandit avec ces blessures physiques et morales, avec au cœur cette haine farouche. Très vite, on parle de lui comme l'incarnation d'une prophétie ancestrale. Il est celui qui unifiera les tribus du Natal, qui bâtira un véritable empire, à force de carnages.

Qui est-il finalement, ce personnage fascinant ? L'enfant mal dans sa peau, au sexe petit, brimé et craintif ? Le chef de tribu à l'ascension fulgurante, autoritaire et violent, cruel et raisonnable, courageux face à l'ennemi ? Le champion des dieux face au désenchantement du monde ? Le dindon d'une farce orchestré par la

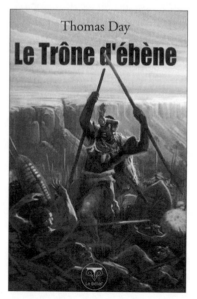

Thomas Day

Le Trône d'ébène

sorcière Isangoma ? Le stratège, le conquérant impitoyable ? Le tyran drogué et dément ? Le mari inquiet, mal à l'aise avec les femmes ? Ou l'amoureux éperdu de sa mère, celle qui l'a donné à lui-même ? Là n'est pas la question. Mais « rien n'est impossible sur une terre arpentée par les dieux », écrit Day au milieu de son roman énigmatique. Une piste ?

L'apprentissage de la vie, l'initiation guerrière, la solitude, la mémoire, le chaos intérieur, la folie sont la matière des livres de Thomas Day. On y perçoit sa facilité à relire l'Histoire, à s'approprier les coutumes, les légendes et le vocabulaire d'une civilisation. Il y a eu la veine japonisante, débuté avec **La Voie du sabre** et poursuivi par **L'Homme qui voulait tuer l'empereur**. Pas plus que les autres, **Le Trône d'ébène** ne se résume à sa trame. Difficile de déterminer leur point commun, même s'ils entretiennent une parenté évidente, peut-être dans cette façon de reprendre les codes du récit de fantasy, ou de manier la profondeur de champ : précision extrême (quasi réaliste) des détails, étrangeté insaisissable de l'ensemble. Ses livres sont comme ces tapis complexes dont le dessin n'apparaît qu'à la fin, lorsqu'on prend assez de recul.

Atypique dans le paysage francophone des littératures de l'imaginaire, Thomas Day assume sans complexe sa part d'ombre : l'écriture chez lui est une noire extase, qui lui permet de régler des comptes avec ses démons intimes. Faut-il être une âme à ce point déchirée pour rendre aussi bien les tourments des garçons en proie à l'adolescence ? Et la féroce concurrence de l'existence ? Et aussi les brusques envies de violence qui agitent les hommes ? Et encore leur dépression que la douceur des femmes ne fait qu'aiguiser ?

Quelle est la clef de Chaka et de ses mues déroutantes ? Son père, si soumis et abhorré, à cause de sa soumission, qui est le contraire, le double inversé du traditionnel patriarche africain, autoritaire et violent ? Ou, pas moins aliénante, sa mère, qui l'a rejoint et s'est installée en lui après avoir péri, qui le fait s'abîmer dans un délire sanglant ? Le destin finit par rattraper Chaka et par s'abattre sur lui, comme le fouet du châtiment.

Le **Trône d'ébène** est le roman de la fin de l'enfance, d'un monde magique à l'agonie, d'une mythologie désenchantée. Day emprunte aux griots africains le ton de l'oralité pour conter l'histoire d'un changement de paradigme. « Dans ce projet littéraire il y a deux aspects qui me semblaient fondamentaux. Le premier c'est de décrire la mort de la magie en Afrique australe en utilisant le personnage de Chaka comme point focal [...] Le second aspect c'était la forme du récit : montrer que la mort de la magie (due à la progression de l'Homme Blanc) s'accompagne d'un métissage de la langue et de la façon de raconter. Ce qui commence comme un conte africain se termine comme un roman plus traditionnel car les Blancs avancent et par leur seule présence, contaminent l'Afrique, à tous les niveaux. Cette forme qui se modifie au fur et à mesure qu'on avance dans le récit est l'humble reflet d'un problème à mon avis insoluble, les sociétés dites primitives doivent-elles être absorbées, se métisser ou être conservées dans le formol des parcs nationaux ; l'absorption est une forme de meurtre ; on peut trouver le métissage magnifique, mais ça veut dire que des choses se perdent, et ce qui est perdu l'est à jamais, même si le métissage engendre des choses formidables. On peut juger la conservation idéale si elle est librement consentie, mais elle équivaut à faire des zoos humains, c'est donc une forme d'emprisonnement. » (Propos recueillis sur le site du Cafard cosmique, www.cafardcosmique.com).

Le registre change avec l'arrivée des Anglais, des dates et des noms de lieux apparaissent, alors qu'on évoluait jusqu'ici dans une ligne intemporelle, à la réalité géographique floue. Le terme arrive, presque abrupt, impersonnel ; les dieux sont contraints de compter sur les hommes pour bénéficier d'un maigre répit ; les hommes s'en remettent à la seule loi de la raison.

Aujourd'hui, Goodwill Zwelithini, le roi des Zoulous, descendant de Chaka, est le garant des traditions, exerce sur son peuple une autorité morale ; mais il n'a strictement aucun rôle politique. Il pourrait d'ailleurs être réduit à devenir une sorte d'attraction touristique. Pour entretenir un train de vie extravagant, il recevra bientôt les touristes en audience dans l'un de ses palais spécialement aménagé pour les visiteurs, vêtu de peaux de bêtes. Le métissage a bien un prix. La culture zouloue est devenue un *atout économique*.

« Rien n'est impossible sur une terre arpentée par les dieux », écrit Thomas Day. Mais que reste-t-il quand les dieux n'arpentent plus terre ? [SL]

Robert Holdstock
Les Royaumes brisés (Codex Merlin -3)
Paris, Le Pré aux clercs, 2007, 466 p.

Le temps du dénouement est arrivé pour Merlin, l'homme sans âge, Jason et consorts. Les premiers épisodes du **Codex Merlin** tenaient à la fois du roman épique et de la quête intérieure, puisque tous les protagonistes semblaient y suivre quelques desseins connus d'eux seuls, avec la vengeance en motif récurrent et en moteur général de l'intrigue. Dans l'extraordinaire décor d'une antiquité ressuscitée, les dernières pièces de la tragédie ourdie par Holdstock se mettent en place, pour un acte final en forme d'apaisement mélancolique : « *La mort de la vengeance est la plus belle de toutes les morts* ».

Une menace pèse sur Alba, le pays d'Urtha, roi des Cornovides. Une menace sentie par les augures, dont Merlin n'arrive pas à déterminer l'origine, et qui se précise quand Taurvinda, la forteresse d'Urtha, est absorbée par un brusque élargissement du pays fantôme, le Pays de l'Ombre des Héros. Les morts reviennent, les animaux se mettent à parler, tout sombre dans le chaos. Le seul espoir du roi s'appelle Merlin… ou *Argo*. Un voyage à travers la Crète labyrinthique en révèle un peu plus sur tous les personnages, sur la malédiction qui s'attache aux pas du capitaine Jason et du navire lui-même. Et le retour en Alba précipite la résolution d'un écheveau complexe, tissée de nombreux fils, brassant les époques ainsi que les destins individuels avec maestria, avant que le prophète-magicien ne reprenne son errance à travers le temps.

Avec **Les Royaumes brisés**, Robert Holdstock parfait une œuvre qui, depuis ses débuts, tente d'échapper au registre convenu de la fantasy épique – de ce qu'on pourrait appeler les canons « tolkieniens » du genre. Avec lui, le territoire de la fantasy s'étend de manière remarquable. Ses sources d'inspirations sont multiples ; ses schèmes narratifs diversifiés. Le roman renoue avec la veine de la confession à la première personne illustrée par Mary Stewart dans *Le cycle de Merlin* (réédité chez Calmann-Lévy), mais la figure du prophète-magicien, pivot des deux aventures, semble infiniment plus complexe chez Holdstock, où la dimension humaine du personnage se double d'un trouble identitaire et d'une profondeur temporelle, inhumaines celles-là. En outre le **Codex** trouve son motif dans la tentative de syncrétisme dont il se réclame silencieusement, puisant sa matière dans les mythologies nordique, celte, arthurienne, grecque et crétoise. Cependant l'auteur ne s'en tient pas à un simple exercice de restitution et d'adaptation, qui à la longue deviendrait fastidieux. Le passé mythique et tentaculaire qu'il décrit est tout autant un décor qu'un personnage vivant, évolutif. En con-

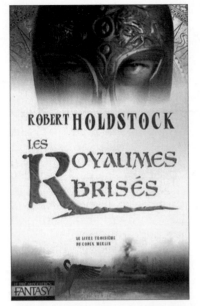

frontant les géographies, à travers d'incessants va-et-vient dans le temps, entre chair et ombre, rêves, souvenirs et réalité, il interroge la capacité des légendes (donc de la fiction) à se réécrire, à se réincarner sous des formes inédites.

Les masques, le temps, la mémoire. Le sujet n'est certes pas nouveau chez Holdstock (voir le cycle des **Mythagos** ou le roman **Ancient Echoes**) mais atteint ici un degré de sophistication inégalé. L'auteur maîtrise son style comme jamais : écriture et idée, forme et contenu sont liés harmonieusement, comme hérités des aèdes, des scaldes, des bardes de jadis. La plus grande réussite du roman gît peut-être dans cette subtile évocation d'un Verbe en constante métamorphose, surnaturel, dont les échos (justement) nous parviennent depuis l'aube des âges.

Voici bien l'une des œuvres les plus ambitieuses et les plus abouties de toute la fantasy. *[SL]*

Scott Westerfeld
Uglies
Paris, Pocket Jeunesse, 2007, 432 p.

Uglies est le premier tome traduit d'une trilogie de Scott Westerfeld, jeune écrivain américain remarqué en France lors de la parution du roman **L'IA et son double** (Flammarion « Imagine »), dans lequel il met en scène des intelligences artificielles aux états d'âme littéralement *sur*-humains.

Uglies a été inspiré à l'auteur par certaines études scientifiques portant sur les constantes de la beauté, quelle que soit la culture, quel que soit le lieu. Sur fond de catastrophe écologique, il a imaginé un futur où le recours à la chirurgie est devenu un mode de régulation sociale.

Le jour de ses seize ans, Tally passera sur le billard pour une opération qui la fera passer du monde des Uglies (les moches) au monde des Pretties (les beaux). Après leur métamorphose, les « beaux » peuvent accéder à certains quartiers réservés, à un autre mode de vie : plus brillant, plus hédoniste.

Mais dans cet univers qui a érigé la beauté en dogme, une résistance s'est organisée. Il y a cette rumeur concernant des « moches » qui auraient quitté la ville pour vivre en sauvages, dans la nature. On parle aussi d'une police secrète, qui veille sur la tranquillité des habitants de la ville. Peu avant son anniversaire, Tally rencontre Shay, une jeune fille de son âge qui ne partage pas le

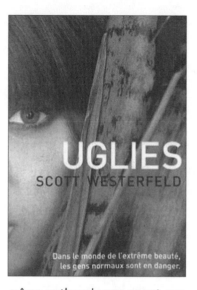

même enthousiasme quant aux idéaux et au confort des Pretties. Shay décide de rejoindre ceux qui, réfugiés à l'extérieur des villes, ont refusé de subir l'opération qui transforme les chenilles en papillons. Elle laisse à son amie un message énigmatique lui permettant de la retrouver. Au bout de nombreuses péripéties, Tally découvrira le secret terrifiant qui se cache derrière cette mue singulière.

Scott Westerfeld a conçu une fiction clairement destinée à un public de jeunes lecteurs : intrigue balisée, rythme entraînant, personnages d'adolescentes aux états d'âme sirupeux, arguments SF compréhensibles au premier abord. Mais derrière cette simplicité de façade se dessine la vision d'un avenir d'une froideur absolue.

Tally agit comme le révélateur d'une société idéalement artificielle, qui a érigé la sécurité, la perfection biologique et écologique en règles – mieux, en art de vie. Lorsqu'ils ne servent plus, les objets sont recyclés; itou pour les humains, ou presque. Les conduites trop dangereuses des jeunes Uglies sont d'abord régulées; puis soudain on *évolue*: physiquement (on grandit, on vieillit), socialement (on circule dans un nouvel espace, un palais de cristal informe et sans saveur). Darwin radicalisé, porté à son paroxysme, au prix de nombreux sacrifices…

La liberté est-elle soluble dans une sorte de bonheur immobile ? Est-il encore temps, pour notre société en voie de réification, d'échapper à cet avenir de musée, de papier glacé, que lui promet Scott Westerfeld ? Telles sont les questions posées par un roman d'une lecture extrêmement prenante.

Sam LERMITE

Estelle Valls de Gomis
Des roses et des monstres
Oulon, Nuit d'Avril, 2007, 185 p.

La couverture de ce recueil de nouvelles représente une femme aux très longs cheveux roux ceints d'une couronne de roses. Elle se tient dans un jardin de roses, drapée dans une belle robe ancienne au tissu soyeux. Tout dans sa pose évoque un certain romantisme sombre. Cette couverture n'est pas particulièrement jolie, mais attirante. J'ai voulu lire ces nouvelles juste à cause d'elle, sans m'attendre à quoique ce soit.

L'auteure s'est fait remarquer en France en 2006 avec son premier livre, **Le Cabaret vert** (que je n'ai pas lu). Sa plume est fine et

précise. Comme le titre l'indique, chaque nouvelle a pour thèmes centraux les roses et les vampires, et la facilité avec laquelle les humains acceptent l'arrivée de l'étrange et de la terreur dans leur vie. Ce qui m'a frappé particulièrement est le souci des détails apportés à chaque histoire : les décors, les ambiances, les odeurs sont minutieusement décrites, avec une finesse sans prétention. Dans les premières nouvelles, j'étais un peu agacée par les noms donnés aux personnages, qui me semblaient un peu ostentatoires : ils font simplement partie de la couleur locale, afin de mieux situer l'époque, la fin du XIXe siècle.

La quatrième de couverture dit qu'elle est digne des auteurs décadents de ce siècle : je n'ai pas lu assez de ces auteurs pour dire si c'est vrai. Le ton est toujours léger, jamais pour se moquer de ses personnages. La pureté et la naïveté de certains d'entre

eux ont quelque chose de beau et de vrai, proche de ce que l'on attend des fleurs qu'ils chérissent tous avec ferveur. La mort est plus que présente, la cruauté des Hommes aussi, mais la nature reprend toujours ses droits, sans cynisme, seulement parce que c'est la nature, et qu'elle est impitoyable.

C'était une bonne lecture, étrange et poétique. À découvrir avec émerveillement et frissons. *[PR]*

Jeffrey Ford
La Fille dans le verre
Paris, Denoël (Lunes d'encre), 2007, 342 p.

J'ai lu récemment **Le Prestige** (Christopher Priest, Folio SF), dans lequel un des deux protagonistes commence sa carrière de magicien en faisant de fausses séances de spiritisme, et j'ai parcouru les mémoires du magicien Robert Houdin (Omnibus) : j'ai toujours été fascinée par ces univers où l'on ne vit que pour l'illusion et le secret.

Les personnages de **La Fille dans le verre** sont de vrais magiciens et arnaqueurs, et également de vrais faux spirites : Antony Cleopatra, le garde du corps ancien hercule de cirque, et le jeune Diego, alias Ondou, l'assistant mystique hindou aux pouvoirs psychiques intenses, travaillent avec Thomas Schell, maître arnaqueur capable de « ...vendre des allumettes au diable ». Ils sont blasés, extrêmement doués, et profitent de la crédulité des familles endeuillées pour remplir les caisses. Nous sommes en Amérique en 1932, pendant la Grande Dépression. Mais nos amis les « spirites » ne sont

pas à plaindre. La mort étant un business qui rapporte, ils ne sont jamais en panne de familles désireuses de communiquer avec leurs chers défunts : leurs techniques d'illusions sont très efficaces, leur réputation n'est plus à faire.

Leur vie aurait pu continuer ainsi... Lors d'une séance particulièrement réussie chez un Monsieur Parks qui a perdu à la fois sa mère et sa femme, Schell pense voir l'image d'une petite fille dans la porte vitrée du salon. Plusieurs jours plus tard, il lit dans les journaux que la fillette a disparu. Profondément troublé par ce qui pourrait remettre ses convictions en question, il propose gratuitement ses services de spirite aux parents de la petite fille, les Barnes : une véritable enquête commence. Schell met Diego et Antony sur l'affaire, ainsi qu'une bonne quantité de ses amis du milieu de l'arnaque, dont le Rongeur, véritable bibliothèque vivante. Au fur et à mesure de l'histoire, on s'enfonce dans le milieu *underground* de l'époque : *freaks* en tous genres, magiciens, pickpockets, femmes-caoutchouc ou femmes-monstres, faux télépathes, mais vrais lecteurs à froid, illusionnistes de bas étages, mais véritables amis. Tous ces personnages donnent à l'histoire une saveur humoristique et cynique. Ils ne se doutent pas un seul instant de l'engrenage dans lequel ils ont mis les pieds. Cette période de l'histoire américaine est particulièrement sombre : la Prohibition est déclarée, entraînant avec elle toutes les dérives possibles ; le racisme latent envers les Mexicains immigrés qui sont

JEFFREY FORD

LA FILLE DANS LE VERRE

ROMAN

DENOËL

renvoyés aux frontières manu militari ; certains ont résisté à la crise de 29 et font de l'argent, mais par quels moyens ! On y parle de *Bootleggers*, du Ku Klux Klan, d'une science dangereuse aux relents d'eugénisme, d'amour, de secret et de vengeance.

Tout cela forme un roman très étoffé, humoristique, qui porte cependant les stigmates de la détresse de l'époque, mais pleine de la générosité et de la solidarité d'une certaine classe sociale, et qui rappelle les meilleurs films de gangsters. Il mêle habilement le style policier, le fantastique, et la chronique sociale. L'auteur n'est pas un débutant : gagnant de plusieurs prix (Grand prix de l'imaginaire, World Fantasy Award, prix Hugo, prix Nebula) pour ses autres romans et nouvelles, il est considéré comme un des auteurs phares de l'imaginaire. Une question demeure : les fantômes

existent-ils ? Et que viennent faire les papillons dans tout cela ?

Pascale RAUD

Glen Cook
Chagrins de ferraille
Nantes, L'Atalante (La dentelle du cygne), 2007, 285 p.

Il s'agit de la quatrième enquête de Garrett, un détective privé qui aurait tout du cliché des années cinquante s'il ne pratiquait son métier dans un monde où la magie et le surnaturel sont monnaie courante… et si ses aventures étaient racontées par quelqu'un d'autre que Glen Cook. Or, avec ce diable d'auteur, dont le style abrupt et rocailleux n'a pas d'équivalent dans le genre, il faut s'attendre à tout quand il propose de transposer, dans un monde semblable à celui de sa Compagnie noire (si ce n'est que nous ne sommes pas au cœur de la guerre, mais en marge de celle-ci), une intrigue qui est un calque de celle des **Dix petits nègres** d'Agatha Christie.

Dans un grand manoir isolé, celui du général Stantnor, il se passe des choses pas très jolies : on pille à qui mieux mieux et on empoisonne le propriétaire des lieux. Si la demande était venue de tout autre que Noir de Pierre, son ancien sergent-major, Garrett n'aurait jamais accepté d'aller enquêter dans cette baraque sinistre. Arrivé sur place, il constate en plus qu'elle abrite une faune bien particulière : outre le général et sa fille, la plus que jolie Jennifer, s'y trouve un triste assortiment d'anciens militaires ayant tous servi sous les ordres du général pendant la guerre dans le Cantard. Ah oui, il y a aussi la cuisinière, une troll gigantesque et rouspéteuse. Âgée de plusieurs siècles – elle est « dans la famille » des Stantnor depuis toujours ! –, Garrett ne saura jamais son nom même s'il est clair qu'elle a un petit faible pour lui (vous pouvez admirer sa sympathique bouille sur la couverture du bouquin).

Alors que le détective tente de comprendre la dynamique de groupe qui anime (ou plutôt fige) la maisonnée – et de découvrir qui est cette femme fantôme que lui seul semble apercevoir –, la mort frappe. Les occupants du manoir, qui sont pourtant d'anciens soldats qui en ont vu d'autres, succombent violemment les uns après les autres sans que Garrett puisse faire quoi que ce soit, toujours en retard d'un coup sur l'assassin qui, d'ailleurs, ne manque pas d'essayer à plusieurs reprises de l'occire. À force de patience, notre détective réussit cependant à trouver le mobile qui explique cette série de meurtres, mais le nombre de suspects potentiels diminue à vue d'œil et il n'arrive toujours pas à identifier le coupable parmi les survivants. Y aurait-il du surnaturel là-dessous ?

Glen Cook s'amuse bien dans cette série, cela ne fait aucun doute quand on prête attention aux ineffables reparties de Garrett. Mais si le lecteur veut s'amuser lui aussi, il doit mettre de côté une certaine portion de son sens critique. Surtout s'il est féru de romans policiers. L'intrigue de **Chagrins de ferraille** n'est pas mauvaise et il ne s'y glisse aucune faute majeure, n'en demeure pas moins que ce sont les person-

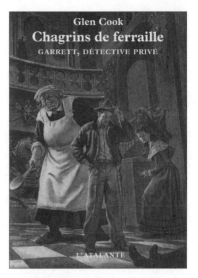

nages et le monde dans lequel ils évoluent qui fait le charme de ce livre. L'imagination de Cook, intarissable quand il s'agit de pur imaginaire (c'est un plaisir de se faire surprendre par ses trouvailles, que ce soient les draugs – des morts-vivants peu ragoûtants – ou le personnage de Snake, un vieux soldat grognon dont Garrett découvrira le remarquable talent d'artiste peintre), traîne un peu de la patte dans la portion « mystère » de **Chagrins de ferraille** qui, de ce point de vue, manque nettement de ressort.

En terminant, il est bon de mentionner que si chacune des enquêtes de Garrett peut se lire indépendamment, le lecteur aurait quand même avantage à lire la série dans l'ordre. Glen Cook, fidèle à son habitude, ne prend jamais la peine de revenir sur le passé ou de rappeler les tenants et aboutissants de certains personnages secondaires. Donc, si vous débutez votre lecture en chemin, vous risquez de ne pas savoir qui est Gloire Signelune, Morlet, Dean ou l'homme-mort. Et si, outre Morlet, ces gens sont peu importants dans le récit, ne pas connaître les relations risque d'enlever une partie non négligeable du plaisir de lecture. *[JP]*

Terry Pratchett, Ian Stewart & Jack Cohen
La Science du Disque-Monde
Nantes, L'Atalante (La dentelle du cygne), 2007, 541 p.

Les mages de l'Université de l'Invisible ont créé par accident un univers de poche bizarre : le nôtre. À leur façon non moins bizarre (pour nous), ils tentent d'en comprendre le fonctionnement et, inutile de le dire, ils iront de bourde en gaffe ! Ça, c'est pour la partie « fiction » (quoi qu'en disent les mages !).

Entre les vingt-cinq chapitres de cette histoire désopilante de Terry Pratchett, Stewart et Cohen insèrent vingt-quatre autres qui font

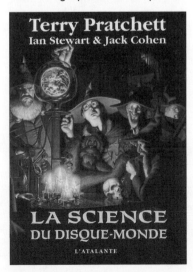

le point sur ce que nous connaissons de ce monde qui est le nôtre et qui, à bien des égards, est tout aussi bizarre que celui du Disque-Monde.

Bien articulé et bien documenté, chacun de ces chapitres fait le point sur ce que la Science sait sur... le début de l'univers, sur sa dynamique et sa composition, sur la naissance de la vie et son évolution, sur la mort des dinosaures, sur l'apparition de l'intelligence... bref, Stewart et Cohen nous convient à un fascinant voyage à travers les connaissances scientifiques du début du XXIe siècle (la version traduite date de 2002).

Un livre passionnant, qui allie fiction et science de façon exemplaire, un livre qui a sa place dans toute bonne collection de fantasy ou de vulgarisation scientifique.

Tout simplement brillant !

Jean PETTIGREW

Armand Cabasson
Le Poisson Bleu Nuit
Oulon, Nuit d'avril, 2007, 204 p.

Après **Loin à l'intérieur** (2005), dont j'avais déjà dit tout le bien que je pensais ici même, Armand Cabasson publie son deuxième recueil de nouvelles plus ou moins fantastiques chez un éditeur mieux distribué que feu L'Oxymore. Voilà qui devrait lui attirer de nouveaux lecteurs. Et ce ne serait que justice car je trouve **Le Poisson Bleu Nuit** encore supérieur de manière générale à son prédécesseur qui a pourtant obtenu le Prix Littré en 2006.

On y retrouve la facilité avec laquelle l'auteur sait passer d'une thématique à l'autre, intégrant dans un même sommaire des histoires d'horreur relativement classiques (« Please », « Bethums », « La Fleur de souffrance » ou « La Dame de Chickamauga »), des histoires de fées généralement mal intentionnées (« La Fée des blés », « Art »), ce qu'on pourrait appeler des fables empoisonnées (« La Montée du grand Léviathan », « Le Petit Singe de Kyoto », « La Pierre du fou » ou « Fille d'elfe ») et des récits à la frontière séparant le fantastique de la littérature générale, comme « Le Fils de Cernunnos » ou la nouvelle donnant son titre au recueil.

Cette agilité thématique se double d'une facilité impressionnante à sauter aussi d'un genre littéraire à l'autre, au gré de l'inspiration. Ainsi, des nouvelles ayant la guerre de Sécession pour toile de fond (ce n'est pas souvent qu'un auteur francophone s'aventure avec un tel talent sur ce terrain marqué à jamais par Ambrose Bierce...) voisinent par exemple ici avec une poignante histoire d'horreur psychologique sur fond de grève et de délocalisation sauvage, « Le Fils de Cernunnos », sans doute le meilleur texte du livre.

Le Poisson Bleu Nuit est une exploration d'un mal de vivre omniprésent qui s'empare même des spectres et des fées et qui pousse les hommes, jouets de leurs propres fantasmes ou marionnettes aux mains d'êtres surnaturels dissimulés dans le décor du quotidien, à commettre l'irréparable. Ces glissades « sur la mauvaise pente », Armand Cabasson les raconte aussi bien sur le mode du récit d'angoisse pur que sur le ton de la confidence murmurée à l'oreille. Sa plume est toujours précise, les effets de style sobres et efficaces et les descriptions affectionnant le petit détail qui sonne juste. Si un bon écrivain se détecte à sa musique personnelle, alors **Le Poisson Bleu Nuit** prouve sans discussion qu'Armand Cabasson fait désormais partie des incontournables du fantastique francophone moderne !

Richard D. NOLANE

Ce cent soixante-quatrième numéro de la revue **Solaris**
a été achevé d'imprimer en septembre 2007
sur les presses de Imprimeries Transcontinental inc.,
division Métrolitho.
Imprimé au Canada — Printed in Canada